教育孩子要懂的心理学

（插图版）

杨颖 编著

成都地图出版社

图书在版编目(CIP)数据

教育孩子要懂的心理学：插图版／杨颖编著. —成都：成都地图出版社有限公司，2020.9(2023.4 重印)
ISBN 978-7-5557-1466-8

Ⅰ. ①教… Ⅱ. ①杨… Ⅲ. ①儿童教育－家庭教育－教育心理学 Ⅳ. ①G781

中国版本图书馆 CIP 数据核字(2020)第 176875 号

教育孩子要懂的心理学(插图版)
JIAOYU HAIZI YAO DONG DE XINLIXUE(CHATU BAN)

编　　著：杨　颖
责任编辑：游世龙
封面设计：松　雪
出版发行：成都地图出版社有限公司
地　　址：成都市龙泉驿区建设路 2 号
邮政编码：610100
电　　话：028-84884648　028-84884826(营销部)
传　　真：028-84884820
印　　刷：三河市众誉天成印务有限公司
开　　本：880mm×1270mm　1/32
印　　张：6
字　　数：136 千字
版　　次：2020 年 9 月第 1 版
印　　次：2023 年 4 月第 5 次印刷
定　　价：36.00 元
书　　号：ISBN 978-7-5557-1466-8

前　言

父母在孩子的成长过程中至关重要，甚至在某种意义上决定着孩子的前途命运。父母的素养、教育方式，将直接决定孩子的未来，乃至一生！父母是孩子的第一任老师，从孩子出生开始，父母的一举一动带给孩子的都是最直观、最有效的经验指导。孩子是敏锐的，他们擅长捕捉父母的喜好，然后不动声色地学习、模仿、调整自我。父母错误的教育方式，往往会使孩子误入歧途；而父母正确的言传身教，可以让孩子功成名就。这就是家庭教育的作用。

孩子是一本无字的书，在关注孩子的成长问题时，应该从“心灵”入手，而非单纯地从“行为”入手。教育实际上就是一门“动心”的艺术，父母应该懂得教育孩子的心理学。孩子的内心世界，跟成年人是大不相同的。鲁迅先生曾说过：“孩子的世界，与成人的世界截然不同，倘不先行理解，一味蛮做，便大碍于孩子的发达。”教育孩子，很关键的一点就是要走进孩子的心里，了解他的心理，知道他在想什么，“对症下药”，对孩子施以正确的、有效的教育，这样才能培养出卓越不凡的孩子。

父母可以不是天才，但可以成为天才的教育者。本书旨在帮助父母了解最基本的教育学、心理学知识，掌握科学的教育方法、技巧，用心理学的规律去引导孩子，培养出真正优秀的孩子。书中详细介绍了孩子在 0～13 岁这一年龄段的心理学基础知识。首先，详细介绍了儿童心理学发展的基本路线和儿童心理学涉及的具体问题；其次，对儿童认知心理学、儿童发展心理学、儿童社会心理学进行了深入浅出的分析；最后，为每一个孩子制定适合自己的个性发展路线，教给家长们心理学知识在教育孩子中的应用技巧。针对孩子的心理需求、人际交往、自控能力、思维能力、自立能力等各个方面可能存在的问题，本书还为大家提供了教育孩子切实可行的操作方法，揭开孩子行为背后的心理真相，帮助家长们避开教育中的暗礁。

本书内容贴近现实生活，科学实用，书中收录的一些实例，极具参考价值，是家长了解孩子心理、引导孩子的不可多得的好帮手。每个孩子都是珍贵的存在，每个孩子都可能成为天才，而每位家长，都可能是培养天才的教育家。我们不能仅仅关注孩子智力的开发和身体的成长，更应该关注孩子心理上的微妙变化，更应该知道在家庭教育中涉及到的心理学，知道如何在生活中运用它们。最后，衷心祝愿每一个孩子都能受到最好的教育，都能健康、快乐地成长。

在本书成书之际，特请专注儿童心理学方向的心理咨询师张璇老师审阅，特此致谢！

2020 年 8 月

目　录

第一章　孩子身上常见的心理学现象

第二章　教育孩子要懂的儿童基础心理学

第三章　教育孩子要懂的儿童认知心理学

第四章　教育孩子要懂的儿童发展心理学

第五章　教育孩子要懂的儿童社会心理学

第六章　教育孩子要懂的儿童情绪心理学

第七章　教育孩子要懂的儿童气质心理学

第八章　教育孩子要懂的儿童个性心理学

第一章

孩子身上常见的心理学现象

适应心理：放手，让孩子去失败

有位妈妈为自己的孩子找心理医生。

医生问这位母亲："孩子第一次把鞋带打了死结之后，你是不是没有给孩子再买过有鞋带的鞋子?"母亲说是。

医生接着问："当孩子刷碗打破过一只碗后，你以后是不是没有再让她洗过碗了?"母亲点点头。

医生又问："孩子花了很长的时间才整理好自己床铺，你是不是以后一直帮她整理床铺呢?"这位母亲很惊讶地看了看医生。

医生说："你为了孩子毕业后能有一个好工作，帮助孩子找了一个很好的职位。而现在你却为她能力不足感到担心！你担心她不能够自己谋生……"

母亲很吃惊地站了起来，问医生："您是怎么知道的?"

"我是从那根鞋带推测出来的。"医生回答。

这位母亲对女儿的过度保护，使孩子受到了限制，不能够独立适应外界的环境，最后反而害了孩子。

人们将调节自我和适应环境的能力称为“自我适应心理”，这种能力是天生的。 佩尔努是保加利亚的一位学者，他曾说：“我们用大约 20 千克的力把婴儿从母体推出，这使得婴儿突然脱离了母体。 那时候，婴儿和航天员一样处于没有重量的状态，他必须马上适应外面的环境，并且还要在这种环境下呼吸。”我们通过这段描述了解到，孩子自脱离母体后，就要开始适应外界的环境。 要适应温差并且在这种温度下成长，然后开始适应家庭生活，之后还要适应学校的生活，最终走向复杂的社会。

人不仅生下来就要适应外界环境，也要在以后学会适应社会生活。 一些适应能力强的孩子，有很强的求知欲，能够理性地面对生活中的变化。 他们知道自己想要的是什么。所以，他们对于未来也有很好的规划，能够健康地成长。

假如在孩子遇到了问题的时候父母马上就帮助他们解决，不给他们自己处理问题的机会，那么他们以后在处理问题时很可能会出现问题。

父母应该放手让孩子去学习、成长。在孩子刚开始做一件事情的时候，遇到挫折是正常的，这是他们成长必经的阶段。这时候，“自我适应心理”就会帮助他们来面对所遇到的问题，从而使他们获得丰富的经验，并越来越自信坚强。

竞争心理：
避免不良竞争，保持健康的竞争意识

超越他人是人生所具有的竞争心态的表现。“物竞天择，适者生存”，人和其他生物一样，生活中充满了竞争。

竞争也有正面和负面之分。人们会因为这两种心理有截然不同的反应。正面竞争心理说的是具有与其年龄发展阶段相适应的认识水平、积极的情绪、对客观现实有更高要求的心理，能够不断地促进自己进步。

负面的竞争心理则是认知水平和年龄不相符，以情绪消极、意志薄弱、不良动机为基础构建的心理需求，它很容易损害人的身心健康。

竞争出现在任何人群之内，身为孩子的父母有责任培养孩子的这种竞争心理，这对他日后的发展有很关键的作用。

竞争意识需要培养，用一种积极向上的心态去引导孩子，让孩子在成长中通过实践证明自己。更要让孩子明白，想要成功就要努力，就必须从身边的小事做起。

嫉妒是竞争中产生的很不好的心理，会让孩子停滞不前。告诉孩子要远离嫉妒，正视自己和别人的差距。

抑郁心理：乐观的父母能使孩子免遭抑郁侵袭

40 岁的海文是一家公司的经理。因为工作压力很大，平时又没有知心朋友，他总感到生活很压抑很没有希望，什么都不顺利。以前他还经常陪女儿、妻子逛街，时间长了，连这些兴趣也没有了。

他明白这对自己和家人都不好，但又没有解决的办法，为此经常失眠，有时候甚至想到了自杀。妻子害怕他的抑郁加重，想尽办法让他开心，可是都不管用，反而使自己也变得郁郁寡欢。更糟的是，她发现女儿也和自己一样：认为自己什么都做不好，成绩不好，觉得自己不漂亮……她很担忧，难道是丈夫长期的抑郁行为传染给了女儿？

很明显，海文患上了抑郁症。事实上，妻子的想法也并非多虑，患抑郁症的人的确能影响周围人的心理。那么抑郁心理究竟有哪些特点呢？

心情低落是抑郁心理的主要表现，这种情绪多会伴有自卑的情节，严重的可能导致精神疾病。可是对许多人来说，抑郁心理存在的时间很短，过一阵子就好了；但对另一些人来说，则是难以摆脱的常态。人们总感觉抑郁症不会发生在自己身上，可事实并非如此。根据统计，在 30 个人中，就会有一人有抑郁的倾向，每 7 个人中，就有一人曾经出现过抑郁症状，而且女性患抑郁症的概率更高，两个人中就可能有一人患病，而且还有遗传性。但除非重大的事件刺激，孩子一般不会受到很大的影响。

因此不必担心孩子会因为自己而患上抑郁症。只要避免受到大的刺激，他是能健康成长的。抑郁症会带来很严重的危害，患上了就很难治好，并且时常会导致自杀行为。

研究指出，抑郁症发病的原因不是单一的，是遗传和一些其他因素共同造成的。家族病史、童年缺乏关爱、突发灾难、精神长期紧张，都有可能使人患上抑郁症。

孩子应该在良好的环境中得到保护。父母尽量不要给孩子传达悲观的想法。父母的乐观情绪，能够带给孩子积极的影响。

家长可以让孩子通过写作排解负面情绪，把心中的情感抒发出来，把想说的话写下来，这样可以抒发内心情感；也可以让孩子以画画的方式疏解情绪，例如，因为思念父母而难过，就把父母的样子画出来，不求画得多好，只要倾注情感就行。假如讨厌一个人，也可以用类似的方式来排解负面情绪。

孤独心理：
受伤的成人和孩子往往会“作茧自缚”

白莉5年前与丈夫离婚，她对丈夫的背信弃义感到很失望，因害怕影响女儿成长因此没有再婚。白莉希望让时间填平自己的伤口，开始新生活。然而事与愿违，她对婚姻已不抱任何希望，觉得自己不会再幸福了。把女儿养大成人是她唯一的愿望，她盼着女儿以后能有一个幸福的家庭。

几年之后，白莉还是无法走出阴影，独自一人带着女儿。可是最近女儿有了很大的变化，父母在她很小的时候就离婚了，那种影响在她心中挥之不去。女儿的防御心理很强，她认为男人是无法信任的，她感到孤独，甚至觉得被世界遗弃了。

父母离异，孩子是受伤害最大的人。根据调查发现，初中年龄段的孩子最容易因父母离异受到伤害。之后，孩子容易形成仇视心理。上述案例中，母亲有严重的孤独情绪，这也对女儿产生了负面的影响。

孤独是人的自然本性之一。很多时候，人需要独处的空间。可是孤独也要适度。一些人，常常把自己封闭起来，逃避现实，这样的孤独就不适度了。由这种孤独心理带来的隔绝感，叫作孤独感。过度的孤独感是一种很有害的负面情绪。

孤独感由以下几种原因造成：一是有些人心高气傲，觉得别人都不如自己，时间长了，大家自然会疏远这种人。还有一些内心自卑的人，担心别人会瞧不起自己，所以会自我封闭。第三种情况是有些人追求完美世界，他们所追求的世界在现实中不存在，这就导致他们和别人没有共同语言。第四种情况是一些曾经被伤害过的人（开篇故事中的母亲就是这样）害怕再次受到伤害，于是将自己封闭起来，这也影响孩子的成长。

孤独的根本原因在于当事人想要用一些借口将自己封闭起来。

当觉得孤独的时候，可以找几个朋友小聚，自己动手做一桌菜，和朋友聊天。另外，也要学会多为别人着想。

在孤独的时候要懂得享受闲暇时光。生活中有很多精彩的瞬间，在孤独的时候正好可以感受那份美好；可以在自己一个人的时候做一些想做的事情，忙碌的人通常不会有孤独感。

焦虑心理：
把你的焦虑写在纸上，然后引导

小凡的妈妈最近一段时间总是十分焦虑，甚至影响了工作。她会无端地讨厌一支钢笔，莫名地不喜欢钢笔乌黑的颜色。最后，这支钢笔被她扔进了垃圾堆。可换了一支钢笔心里还是不舒服，在买这支笔的时候，售货员看到了她不太好的一面，用言语伤害到了她的自尊心。结果这支钢笔也不能幸免于难。

一次，小凡送给了妈妈一个饭盒。妈妈最先想到的就是：“这材料是不是聚乙烯的？”曾经，她看到一篇文章说这种材料对身体危害很大。这令她很担心：“这盒子会不会不安全？我会不会中毒呢？”

一天，小凡头上的两个“旋儿”又引起了她的焦虑。她听别人说过“一旋好，俩旋孬，两个顶（旋），气得爹娘要跳井”。这是真的吗？不然为什么小凡总是不让人省心呢！于是她每天深陷焦虑无法自拔……

小凡也受到了妈妈这种情绪的影响，每天忧心忡忡，觉得是自己连累了妈妈，觉得妈妈没有她可能会比较幸福。渐渐地，小凡上课时也处于一种精神紧张的状态，怕学习不好，妈妈会为此难过，她甚至担心自己将来没有本事，不能让妈妈过上好的生活……小凡的性格就这样慢慢地改变了。

其实小凡的妈妈患上了焦虑症。而在妈妈影响下，小凡也变得焦虑。美国的心理学家做过的一项研究表明：假如孩子的父母得了焦虑症，那么孩子将有很高的患病可能。孩子会从父母平时的一些行为中受到感染，比如在孩子面前的行为、语言等都会影响到孩子。可是什么是焦虑症呢？

首先说一下焦虑的情绪体验。焦虑并没有确切的起因，常伴有紧张感。我们可能有过这样的情绪：在你和心上人见面之前，当被老板责怪的时候，当孩子生病时，都会产生焦虑的情绪。适当的焦虑其实不是坏事，能够使人更加努力地去克服困难。可是，假如过度忧虑，就会患上焦虑症，这种情绪会起到相反的作用，有时还会妨碍日常的生活。

患有焦虑症的人，总会产生一些莫须有的担忧。例如，他们会担忧孩子的前途，无论孩子多么优秀也无法消除他们的焦虑感；他们担心孩子的安全问题；很多情况下也不知道是什么原因，常常会觉得焦虑。他们整天愁眉苦脸，内心无法得到片刻的安宁。

有很多方法可以消除焦虑症，书法、音乐、运动都是很好的方式，但是纠正错误才是最本质的方法，什么事情都要看开一些。可以把自己的焦虑写在纸上，然后纠正，下面是具体的步骤：

首先，在焦虑的时候，请在纸上写出让你焦虑的事情，例

如：“我怕做不好工作”“我担心孩子在学校的学习”“一些讨厌的想法缠着我不放”……

其次，写好后，找出它们产生的原因，想一下这对事情的发展会产生什么后果，写下来。通常你会发现，焦虑过度会导致不好的后果。

最后，想更好的办法，例如：既然焦虑不能改变现状，我就要努力让自己平静下来；越担心孩子越会给孩子造成压力，那不如实行“无为而治”。这样反复几次，焦虑感就会大大地降低！

角色效应：比尔·盖茨与“小侦探”的社会角色

比尔·盖茨上小学四年级时在图书馆帮忙。图书馆管理员告诉他要做的工作：保证每本书都在它原来正确的位置上。盖茨听过之后说：“这工作和侦探一样吗？”管理员回答：“没错。”盖茨于是很开心地开始了自己的工作。

盖茨为自己可以像“侦探”一样工作感到很兴奋，每当他发现一本书放错了位置时，都会很高兴。他做得越来越好，因此想要成为正式的图书馆管理员。但是几周后，盖茨搬家了，去了新的学校。不久之后盖茨又回来了，因为新学校的校规规定学生不能工作，父母为了满足孩子想成为图书馆管理员的愿望，就给他办理了转学手续。盖茨也说：“就算爸爸不来送我，我也要走着来上学。”

由此可以看出，盖茨对这个角色的重视。正是有了这种经历，盖茨在成年后才能够从枯燥的工作中发现趣味。

一位心理学家曾经做过这样一项实验：请一些并不十分了解礼仪的孩子吃饭。可这些孩子在吃饭的时候竟然像变了个人一样，他们觉得自己是绅士，在自我的约束下，他们很快学会了就餐礼仪。

实验证明，假如给孩子恰当的角色，并且当孩子了解到角色的意义时，孩子自己就会要求自己向着扮演的角色靠近，逐渐改掉不好的习惯。这被称为“角色效应”。社会与他人的期待是角色效应形成的基础，但是现在的教育存在一个问题，老师往往会给孩子贴上“好学生”和“坏学生”的标签，学生们对角色认知的偏差在这种情况下产生，不能够正确认识自己。学习差的学生认为自己是毫无用处的，并且讨厌自己的角色，而学习好的人则会只重视学习。这样孩子就会有不同的表现，坏学生越来越坏；好学生就只会重视学习。孩子的这种恶性循环都是由于最初的认知偏差造成的。

盖茨得到了“角色效应”的积极影响，他从扮演的角色上得到了认同感，在父母的鼓励下，从自己扮演的角色中得到了快乐。正是这种积极的影响促进了他的成长。

父母可以根据角色效应给孩子挑选一些优秀的角色，让她们扮演，让孩子从中学到一些知识。比如说给女儿“卫生员”的权力，通过这样来使孩子养成良好的卫生习惯，孩子可以在扮演“侦探”的角色中学会如何解决问题，而“科学家”角色的扮演能够激发孩子学习的兴趣。

人的社会性：每个孩子都害怕做“独行侠”

小凡十分内向，她感到十分孤独，什么事都不能引起她的兴趣，上课的时候总是心不在焉。这些异常的举动很快被班主任发现了，因此班主任想进一步了解小凡的生活情况。

一天，班主任和小凡一起走。小凡在路上什么话都不说，班主任询问她的近况时，她也是问三句答一句。她的这种反应让班主任很不解。到家的小凡只是很漠然地说了一声：“妈妈，老师来了。”然后就将自己锁在了房间。

得知了小凡在学校的表现，妈妈说：“小凡在家里也不怎么说话，也不怎么和小朋友一起玩，对家人也一样，我们也不知道该怎么办。”通过交谈，班主任了解到，由于父母做生意十分忙，所以就请了保姆照顾小凡的生活，小凡很少有父母的陪伴。

班主任听完后说：“小凡太缺少你们的关注了。平时你们要注意关心孩子，不然对孩子的心理有很不好的影响。”听了班主任的话，小凡的父母才认识到自己的失职。

自然界中，个体和群体是动物生存的常见方式，例如蚂蚁、大象、狼等动物就是群体的生活方式。人也是这样的群体性动物。然而逃避社会，往往是孤独的人的选择。她们个性孤僻胆子小，总是不合群。实际上这些人并不是天生就孤独，只是她们后天得到的关注太少了。

假如父母忽略了对孩子的关心，孩子得不到归属感，就会觉得自己没有价值。用小凡的例子来说，由于长时间无法得到父母的关爱，她也不敢和学校的同学主动说话，时间长了就变得很不合群，父母也对她漠不关心，导致小凡感受不到归属感。周围人对她的态度，都会对她的心理造成影响。

父母关爱的缺失是造成小凡孤独的根本原因。作为父母应该好好想想自己到底给了孩子什么？是精神上的安抚，还是丰富的物质供给？家长要清楚的是，孩子需要的是爱，不单单是物质上的满足。父母的爱应该伴随着孩子的成长。

邻里效应：孩子的周围都是什么人

孟子的父亲在他很小的时候就去世了，母亲抚养他长大。孟母是一个很有眼界的人，为了把儿子养大成人，辛苦地替人洗衣服，省吃俭用，一心想让儿子有所作为。

起初，孟子家在墓地旁边，周围的孩子常拉他去墓地玩，可能是看得多了，孟子就和小朋友们一起玩送葬游戏。孟母得知后，觉得这会对孩子成长不利。于是，孟母决定搬家。

这次他们搬进了闹市居住。这个地方紧邻市场，久而久之，孟子又开始学小商贩们的举止行为，孟母决定第二次搬家。

这次他们搬到了一个学堂旁边，学堂中的读书人都很有修养，见面都会礼貌地打招呼。时间一长，孟子将读书人作为行为的典范，见面的时候也学那些读书人礼貌地打招呼。孟母看见儿子这样很是高兴，就在这里住了下来。

孟子后来的成就很大程度上要归功于最初良好的成长环

境。孟母知道外界环境可以影响孩子的成长，所以她搬了三次家，就是为了给孩子寻找一个良好的外界环境。现代心理学将这称为“邻里效应”。也就是说，一个人的成长、性格会受到外界的影响。

“邻里效应”对现代人也有很大影响。对一个思维缜密的人来讲，当自己松懈下来时，可能会被外界环境所影响，进而影响自己的行为。对临近空间人群的整合是这一效应的最直接作用，让人们在行为上变得相似。可是“邻里效应”是在一定条件下才会产生的：在情感、态度、社会地位等方面，互为影响的双方要有类似性。例如，一个成绩很好的小孩和一个成绩很差的孩子，由于一些共同的喜好会互相感染。但是脾气不相符的，缺乏相似点的人就难以产生这一效应。

家长要学习孟母对周围环境的重视态度，将“邻里效应”强化，鼓励孩子多结交一些好朋友，多与有良好行为的孩子在一起玩，让孩子在良好的环境中成长。

从众心理：别人要做的事，你不一定要做

阿远所在的学校附近有个池塘，大家都喜欢在冬天的时候去那里滑冰。一次放学后，孩子们都去池塘里滑冰。

“阿远，你快点啊！”阿远听到了亮亮的喊声。

阿远不敢过去，害怕冰面不够结实。

“胆小鬼，”另一个孩子说，“这里从来都没出过问题。”

“对啊，”亮亮应和，“冰面很结实的。”

越来越多的孩子都进入了池塘，终于阿远也跟他们一起跳了上去。孩子们很高兴，开心得忘乎所以。忽然有人叫道：“冰裂了！冰裂了！”阿远跟其他两个孩子都不幸掉了下去。老师听见喊声跑了过去，把3个孩子救了出来。

当阿远回到家时，父母又急又怕地哭了起来。阿远的这场灾祸是由“从众心理”导致的，他觉得大家都不害怕，自己也可以一起滑冰，没想到差点就酿成大祸。

“从众”是一种很常见的现象和心理，就是平时说的“人云亦云”“随大流”，和大家的行为保持一致，认为跟着大家一起做事准没有错。孩子都希望可以融入群体，假如他远离了群体，就会有被孤立的感觉。

“从众”也是把双刃剑。它一方面会使孩子丧失主见，另一方面也能够帮助人们开阔思维。

很多孩子在潜意识中就有“从众心理”。他们常会要求父母给他们买大家都拥有的东西，“妈妈，我同学都有这东西，你也给我买一个吧。”父母要极力避免这种“从众”心理，对孩子说：“并不是大家都有的东西就是最好的东西！”要培养孩子形成自己的评判标准。

◇ 孩子需要归属感 ◇

假如父母忽略了对孩子的关心，孩子得不到归属感，就会觉得自己无足轻重。小凡由于长时间无法得到父母的关爱，也不敢和学校的同学主动说话，时间长了就变得很不合群，父母也对她漠不关心，导致小凡没有归属感。

高情商家教思维

1. 你对自己孩子的心理有什么样的了解？ 列举一下孩子心理方面都有什么样的表现。

2. 你对自己孩子在心理方面的表现是否满意？ 你觉得需要改变和提升的是什么？

3. 你是否觉得自己在孩子心理塑造这方面已经束手无策和无能为力？

4. 你觉得你需要专业方面的指导和帮助吗？ 列举一下需求。

5. 从本章获取的知识对你帮助是：

第二章

教育孩子要懂的儿童基础心理学

生命开始之时，心理发展之初

一天，妈妈带着2岁多的璐璐出去散步。璐璐看到一个大腹便便的阿姨，奇怪地问道："妈妈，这个阿姨怎么这么胖呀?"

妈妈告诉她："这个阿姨的肚子里有个小宝宝啊。"

璐璐接着又问："妈妈，我小时候也住在肚子里吗?"

妈妈笑着回答说："是啊，小璐璐也是从妈妈的肚子里出来的。"

璐璐又好奇地问："妈妈，我在你肚子里的时候也会吃饭睡觉吗?"

妈妈摸了摸她的头说："当然，不过跟现在的吃饭睡觉不一样。璐璐知道吗?在你还很小很小的时候，就已经开始理解妈妈的心思了。妈妈开心不开心，你都知道呢!"

璐璐听完，拍着手说："哇，璐璐好聪明啊!"

在大人眼里，出生是孩子人生的开始，但对孩子来说，他的人生在出生之前就已经开始了。孩子心理发展的起点不是

他降生的时刻，早在受孕的时候，孩子就已经被赋予了很多对他今后的发展具有重大影响力的特质。在孩子的一生中，环境和基因这两种因素对孩子的心理发展起着重要作用。其中，基因是在受孕的时候就开始起作用的因素，这也被称为“基因禀赋”。同时，很多可能影响他未来的心理发展的事情在孩子还生活在妈妈的子宫里的时候也会发生。

一个人的生命是从受精卵开始的。精子和卵子的结合标志着一个新的、独一无二的个体的到来。同时，也是父母将特定的基因传递给这个新生命的过程。父母的基因组合将伴随这个新个体一生，它也为这个孩子的人格和心理发展奠定基础。

那么基因有什么样的性质，为什么它能够影响孩子的性格发展呢？

基因首先为孩子的健康成长奠定物质基础，正常的基因可以保证孩子发育成一个身体健康的人。

基因存在于细胞核内，是染色体上一个个具有遗传功能的片段，就像项链上的珍珠一样串联在染色体上。 这些基因中蕴藏着每个人的身体密码。 每个基因都对应着身体上的某个特征或者身体发育的特定方面。 身高、体重、智力、眼睛的颜色等都与基因有着密切的关系。 以眼睛的颜色来说，这个生理特征是有一个单独的基因控制的，它决定了这个孩子究竟是拥有蓝眼睛还是黑眼睛；人体基因有时候采取“单打独斗”的方式控制人体特征，就像上边提到的控制眼睛颜色的基因，但是更多的情况下，它们是采取“合作”的方式来控制人体特征的。 有研究表明，一个人的智力水平至少受到150 个基因的影响。

为什么所有的人都有两只手两只脚，为什么人类的耳朵没有像小猫一样顶在头上，为什么我们身后没有长长的大尾巴？ 这一切的答案都是基因。 如果从基因的角度来看的话，所有的人都是“亲戚”，因为我们拥有一部分相同的基因，这些基因保证了我们作为人类所具有的共同特征：保证每个人发育出双手双腿，都具有相同的神经系统，并且在一定的年限中完成性发育来保证人类的繁衍生息。

从上面的例子我们可以看出，基因不仅决定了静态的外貌，它还与发展变化密切相关。 基因保证了人类的生长发育按照一定的时间顺序进行，如婴儿的运动能力就是按照一定的顺序出现的，首先是头部控制、坐起，然后才是爬行、站立、行走等能力的出现。

但是，就像世界上没有完全相同的两片树叶一样，世界上也没有完全相同的两个人。 即使是双胞胎，不管他们的外貌多么相似，他们之间总会有一些细微的差别。 也许一个孩子性格外向，一个孩子性格内向，这些差别同样来自基因。

正是人体的另外一部分基因将我们区分成为独一无二的个体，让我们的生理外观和心理特性，以及个体能力具有极大的差异性。比如说虽然每个正常发育的婴儿都应该能够学会走路，但是他们达到这个阶段所需要的时间却是不同的，这就是基因带来的差别。那么同是人类的基因，为什么会产生如此大的差别呢？其实，差别是父亲的 23 条染色体和母亲的 23 条染色体上所携带的基因的自由组合的产物。父母之间染色体的随机组合会产生极富差异性的特征，而这些基因之间如何组合纯属偶然，就像是买彩票一样不可预测，这就是所谓的“基因彩票”。而我们都是它的产物。

动作发展，渴望独立的信号

小洁已经有10个月大了，这些日子她总是喜欢扶着东西站立。如果爸爸妈妈想帮助她，她还会扳开他们的手，一定要自己扶着东西站，然后会睁大圆溜溜的大眼睛，看着自己的爸爸妈妈，那神情就好像在说："爸爸妈妈，你们看我，很厉害吧，我都能自己站了。"她一定是觉得这样很好玩，总是反反复复地做这个动作。站累的时候，小洁才会坐下自己玩玩具。

慢慢地，她能够站立一段时间，而且还站得很稳。有时候她还尝试先跪着，然后再站起来；偶尔自己站起来，勇敢地向前挪动两步后，会略显紧张地看着爸爸妈妈。爸爸妈妈这时候就会给她鼓鼓掌，小洁这时候就好像得到巨大的支持，自己也拍着手乐滋滋地扑到爸爸妈妈怀里。

人类的动作发展实际上在胎儿时期已经开始。大约从怀孕第4个月开始，胎儿的活动就已经可以被他的妈妈所感知，这个时期的胎儿就已经开始了吸吮手指、打嗝等活动。胎儿5个月大的时候会出现踢蹬动作，母体外部感觉十分明显。

经过大约260多天的成长，一个全新的生命诞生了，在众人的关怀和照顾下，婴儿真正作为一个独特的个体拉开了自己人生舞台的序幕。动作的发展是这个时期儿童发展的主旋律。

动作在婴儿心理发展中的作用一直是心理学研究中的一个重要课题。多年来，心理学家们从不同的角度探讨了这一课题，并提出了各自不同的理论和假说。

根据相关的研究结果，我们认为，从心理的起源与发展来看，动作发展对于个体早期的心理发展有着广泛而深刻的影响。首先，有句话叫作“实践出真知”，每个人心理的起源都与动作密不可分。认识并不是人与生俱来的简单感知觉，而感知的源泉和思维发展的基础有赖于动作的发展。

一个人想要认识世界并且对外界产生感知就必须通过对它施加动作才能实现，只有这样，人与外界才能相互作用，相互改变。通过对外界施加动作，人可以获得对事物的直观认识，同时可以获取社会经验，产生自己的想法，完成自己主观世界的构建。

从个体心理的发展历程来看，每个人的心理发展都是逐步内化的，而动作在心理的内化过程中则起着关键性的作用。心理发展初期，动作是婴儿展开认识活动的主要工具，向外界施加动作，并根据动作的结果进一步调整动作方式是婴儿认识世界的基本方式。随着婴儿与外界进行交往的动作的不断丰富，一岁半到两岁之间的孩子就开始了心理的内化过程。

动作除了是心理发展的基础，它还能够使个体更加积极地参与心理发展。首先动作对于大脑的发育具有促进作用。动作可以完善大脑结构，为个体心理的发展奠定良好的基础；动作可以使个体对外界的刺激更加警觉，还能使感知觉更加精确；动作既可以促使个体认知结构的不断优化，还可以通过提供新经验引起个体原有认知结构与新环境刺激间的冲突和不协调。

动作的发展在婴幼儿时期主要是指运动的发展，包括婴幼儿对自己身体运动的控制和对外界事物的控制两个方面。这些控制的发展过程都是从不灵活到灵活，从不稳定到稳定。

刚出生的孩子颈部肌肉还不能够支撑头部的重量，所以抱新生儿时，一定要连头一起抱着，否则你会发现小孩的脑袋东倒西歪，整个人没精打采的。孩子出生 4 周左右就能抬起下巴；2 个月之后才可以微微抬头，到第三个月，婴儿可以使自己的头和肩部离开地面并且支撑住。6 个月之后，他可以抬起腹部以上的身体，并且能以俯卧的姿势翻身。7 个月时，他又能以仰卧姿势翻身。9 个月时，孩子基本上可以学会坐，而且可以支持 10 分钟左右。

一般而言，儿童动作的发展顺序是：

（1）从整体到局部。以婴儿抓握东西为例，首先是试图整只手去抓，接着出现拇指的分化，然后才出现其他另外四指的分化。

（2）从分化到整合。当上述局部动作发展到一定程度之后，小的动作单元又会重新组合成大的协调的动作系列，形成新的动作。

（3）头尾及近远序列。婴幼儿最初的动作出现在头部，而后才向脚趾的方向发展，遵循头尾序列原则。另外，身体的发展是从身体中心逐渐向四肢扩展，也就是说婴儿活动主要集中在身体的中心部分——躯干，随后才会向手臂、手、手指以及腿、脚方向发展。

提前训练对孩子是好还是坏

涛涛学走路似乎比别的孩子稍晚一些，同龄的孩子都已经走得稳稳当当了，涛涛才刚刚开始学步。因为涛涛身体平衡能力发展慢一些，妈妈怕他摔倒，总是有意减少他学步的时间，认为孩子走路是“船到桥头自然直”，反正人长大早晚都会走路的，多练少练没什么关系，到了年龄自然会，练不练本身意义不大。而涛涛爸爸却持有不同的观点，他认为应该抓紧时间让涛涛学习走路，否则就会落后于其他孩子。为了这个问题夫妻俩经常发生冲突。

那么，涛涛到底要不要练习走路呢？

其实，从能力发展的过程来看，不必让孩子提前“预习”什么，顺其自然是最好的法则之一。人类有许多与生俱来的能力，一个人成长到特定的年龄阶段自然就会掌握那个技能，走路也是一样的。

但是，哈佛大学学前教育研究项目主任伯顿·怀特曾经指出：如果到婴儿 2 岁时父母亲才注意到婴儿的教育，那就太晚了。因为研究表明，1 岁半左右的婴儿就已经开始显示出他今后的发展方向。这个时期的一些动作操作成绩，将会逐渐代表婴儿以后包括学业在内的各种成绩可能达到的水平。尤其如果在最初的 6 个月里，婴儿的动作训练没有得到足够的关注，那么今后婴儿对学习的兴趣、对新鲜事物的好奇心以至于信任感都会受到影响。

心理学家吉布森也提出过这样的观点，渐进的训练对未来的学习体验具有积极的效果，我们不可能让婴儿学习他无法体验的东西，却可以渐进地训练和积累，培养他学会怎样去学习。

但是不可忽视的是，动作训练不仅依赖于后天的学习，也依赖于先天条件的成熟。如果忽视了先天条件的成熟而强行进行动作训练，也许会给孩子带来不可挽回的负面影响。

美国著名儿童心理学家格塞尔认为，支配儿童心理发展的因素有两个：一个是成熟，另一个是学习。在两者之中，他觉得成熟更为重要。格塞尔认为：不成熟就无法产生学习，学习只是对成熟起到一定的促进作用。

格塞尔为了证明自己的观点曾经做了一个很著名的实验——双胞胎爬梯。在这个实验中，格赛尔选择了双胞胎中的一个从 48 周起就开始每天进行 10 分钟的爬梯训练，连续训练 6 周。到第 52 周时，他才能熟练地爬上 5 级楼梯。在此期间，另一个孩子不进行任何爬梯训练，而是从 53 周才开始进行爬梯训练。结果发现两周以后，第二个孩子不用成人帮助就可以顺利地爬到楼梯顶端。

格塞尔的这个实验表明，儿童的心理主要是一个自然成熟的过程，孩子的成长是受到生理和心理成熟机制制约的，教育并不能改变心理发展的主要时间进程。只有当儿童的心理成熟到一定程度的时候，教育才能使儿童的发展加快。任意地对孩子的动作采取提前训练的方法，可能会在短时间内占有一定的优势，但这种优势并不是自然形成，它改变了孩子应有的成长顺序，因此这种优势不一定能长时期地保持下去，并且还可能破坏儿童对学习的兴趣。所以，对儿童来说，一切学习都要建立在生理成熟的基础上，否则只能适得其反。

其实类似双胞胎爬楼梯实验的例子在生活中也比比皆是。比如说排便训练，在我国比较重视早期的排便训练，西方国家多数父母是在孩子 1 岁之后才开始训练孩子独自排便，有的甚至会在 2 岁之后才开始。心理学家研究表明，过早训练排便不仅没有收到更好的训练效果，而且还可能会造成更多的排便心理障碍，为许多心理疾病埋下祸根。所以建议家长们不要对 1 岁前的小孩进行排便训练，有条件使用纸尿布的，最好不要过多地强调这项训练。

性别分界——课桌上的“三八线”

小玉的妈妈最近发现了一件奇怪的事情，那就是小玉忽然不爱搭理曾经的好朋友飞飞了。飞飞是个男孩子，两个孩子上幼儿园的时候就经常在一起玩，飞飞总是像小哥哥一样照顾小玉，两个人在一起从来不吵架，非常合得来。小学一二年级的时候，飞飞和小玉还是经常在一起玩，但是小玉升入三年级之后，就开始刻意地远离飞飞，有时候飞飞叫她出去玩她还会很不高兴地拒绝。妈妈问她：“小玉，你和飞飞吵架了吗?”“没有啊!”“那最近怎么不跟他一块玩了呢?”“他是男孩子，我是女孩子，我才不跟讨厌的男孩子一块玩呢!”

刘洋在小学做老师，是四年级的班主任。他发现班里的课桌上几乎都画着一条“三八线”，尤其是那些男孩和女孩是同桌的课桌，这条线往往更加明显。另外，他在课堂上还发现，有时候男孩做什么事情，女孩看见了就会“鄙视”地把嘴撇到一边，同样，男孩也看不惯女孩的有些行为举止。不过，有时候有些“淘气包”会故意把胳膊伸过界，看见同桌的女孩为此生气的时候，脸上总是一副得意扬扬的表情。

孩子们到底怎么了呢？为什么男孩和女孩原本很和谐的关系忽然变成了势同水火的对立关系呢？其实，这些现象的发生都是在悄悄地告诉父母——孩子们的青春期就要来临了。在孩子十岁左右的时候，世界在他们眼中已经变成了两个“半球”——“男半球”和“女半球”。性别分界在这个时候变得非常清晰，男孩和女孩在这个时候似乎终于清楚地认识到了自己所属的阵营，明确了“不同的性别就该做不同的事情”的观点。比如，他们会认为男孩子就该去踢足球、玩弹珠，女孩子就应该去跳皮筋、打扮布娃娃，这两个“半球”泾渭分明，互不侵犯。对于青春期前期的孩子来说，他们的世界清楚地标明了自己的观点：“异性禁止入内！”

而且在这个时期，似乎男孩和女孩已经成为“敌人”，两个阵营的“战士们”都想用尽自己的方法战胜对方。男女生在课桌上画出一条“三八”线，每天展开课桌争夺战；男生经常会揪住前排女生的辫子；女生则擅长群体战术，经常七嘴八舌地对男生群起而攻之……老师和家长经常被孩子们之间发生的这些小事弄得焦头烂额。

不过，这其实是孩子们心理发育正常的标志。心理学家的研究表明，这种表面的对立背后，实际上潜藏着相互间的吸引和好感。只是这种吸引和好感通过一种被称为“反向作用”的心理防御机制以相反的方式表现出来而已。

这时候的孩子用“野蛮交往”的方式表现出对异性的好奇与探究。对好动的男孩来说，“欺负”眼前真实的女孩，比从书本上获得“男女有别”的知识要更加直接，更加有趣。心理学上的“异性效应”告诉我们，有异性参加的活动，比那些只有同性参加的活动更令人愉悦，会让人玩得更起劲，干得更出色。通过这种“野蛮”的交往方式，孩子们同样可以获得某些异性之间交往的乐趣。通过言语惹怒对方以及推推搡搡所引起的异性交往，不仅能把异性“拖”进自己的世界，在异性面前表现自我，吸引对方的注意，而且还避免了同学们的流言蜚语，这种“野蛮交往方式”当然会成为孩子们欢迎的“首选”交往方式。

所以面对这个年龄的孩子忽然产生的行为变化，家长和老师完全不必大惊失色、自乱阵脚，不要只是粗暴地制止他们的行为，而是要对男女生的正确交往给以恰当的引导，通过提早消除矛盾发生的根源或者迅速解决冲突的方式，防止孩子陷入愤怒和攻击的深潭。

这时候的家长要注意在家里营造和谐的气氛，杜绝有攻击性的行为，在严格要求孩子的同时要充分相信他们，另外还要扩大孩子的交往范围，帮助孩子养成与他人合作的习惯。

青春期来临，大脑也变化

英国著名的喜剧演员斯蒂芬·弗莱曾经收到过一份来自校长的评语："他身上带有众多非常狰狞的缺点，在刚刚过去的那个学期里，我们显然体验到了它们的可怕程度。"另一个演员诺曼·维斯顿则被老师这样评价："这孩子从头到脚每一寸都是愚蠢的，幸好他身材不高。"

这些评语都是对这两位演员青春期表现的评价。一提到青春期，很多家长的脑袋很可能"嗡"地一下就变大了，而后会历数自己家那个"小冤家"的"斑斑劣迹"。在很多成年人的眼里，青春期就是一个谜。这个阶段，人会发生最重要的两个转变，一是开始具备生育能力，二是自我意识基本确立。

孩子进入青春期之后，通常会出现几个"反常现象"：

1. **与同龄人的交往增多**

孩子会一改往日喜欢与爸爸妈妈黏在一起的状态，转而喜欢与同龄人交往。孩子们会在做一些感兴趣的事情，另外他们也很害怕失去同龄人的认同。

2. 对压力更加敏感

研究表明，与成人相比，日常生活的压力更容易影响青少年的决策能力，不好的消息使他们可能面对比成年人更多的困扰。

3. 冒险行为增多

青少年天生爱冒险，同时爱冒险的人更容易被同龄人接受和崇拜。研究表明，11 岁到 15 岁之间的孩子，有 80% 每个月都会至少做出一种不良的冒险行为，比如违抗父母管教、在校表现不好等。

很多人认为处于青春期的孩子暴躁易怒，不服管教，是心理上追求独立的过程。但是除了心理作用，其实他们的大脑在这个时候也处于急速变化中。

掌管着人类计划、考虑和抑制冲动、做出明智决定的大脑额叶是最晚成熟的器官，青春期阶段的大脑额叶基本上处于停止运作的状态，因而青少年的大脑随时处于斗争、激动和逃避的状态，几乎没有计划、自控能力。这个时候的父母应该暂时充当孩子的大脑额叶，用自己的经历帮助孩子周全地筹划事情和做出人生的计划。

但是此时大脑中控制青少年情感的区域却十分活跃，这让青春期的孩子几乎时刻处于情感震荡中，他们喜欢高强度、高刺激的音乐和电影，并且爱用夸张的非声音语言，例如翻白眼、叹气等表情，一些不了解真相的父母往往会对孩子的这些表现大发雷霆。

还有一种情况会让父母抓狂，那就是父母问这个时期的孩子“你在想什么？”的时候，经常会得到这样的回答“不知道”，父母会以为孩子是故意装出来的，但是实际情况是，孩子是真的不知道。这就涉及大脑髓鞘的变化了。髓鞘是包裹在脑细胞外面的物质，能够帮助神经传导更加快速和高效，也就是说能够让孩子的思维变得更快。青春期是与记忆相关的海马体和与情感相关的扣带的髓鞘大量形成的时候。也就是说，在青春期之前，孩子的记忆力处于相对较低的水平，这就解释了孩子说“不知道”的原因：可能是他们的思维过快而记忆水平没有跟上。而扣带掌管着理智和道德，因此这个时候他们考虑后果的能力相对薄弱，也不能很好地控制自己的理智，所以很有可能父母只是让他去倒垃圾，他就会丧失理智，发疯甚至做出极其过分的举动。

对于孩子正在经历的这些变化，明智的父母应该做到以下几点：

（1）明确这种观念，孩子并不是微型的成人，他们的大脑无论在生理结构还是神经反应上都和成年人不同。

（2）因为他们的大脑额叶基本处于停止工作的状态，所以不要指望他们会思前想后和体谅别人。

（3）要善于利用孩子丰富的情感，让他们把从书里或者其他媒体获得的积极的情感体验运用到生活中。

（4）要相信自己的影响力。即使孩子会跟你大吵大嚷，但是这并不妨碍他们暗地里模仿你的行为。

情绪化有原因，化学物质在捣蛋

冉冉是个活泼可爱的孩子，妈妈一直都为养了这么一个女儿而骄傲。但是自从冉冉上了初中，她就像变了个人一样。整天做事无精打采的。以前妈妈去叫她吃早饭，她都是兴高采烈地冲到饭桌旁边，大叫着："我饿了！好香的饭啊！妈妈真棒！"但是现在，孩子总是淡淡地回应一声："知道了。"然后磨磨蹭蹭地坐到桌子旁边，默默地吃饭。冉冉的妈妈很奇怪，反省了一下自己的行为，但是自己什么也没做，为什么孩子会变得这样了呢？

与冉冉的妈妈不同，彤彤的妈妈则是为女儿总是过于激烈的情绪烦恼。有时候孩子放学回来还开开心心的，忽然之间就可能会因为父母一句无心的话暴跳如雷。彤彤的妈妈对自己的女儿也非常不理解。

孩子在成长过程中，都会经历青春期。这一时期的孩子缺乏适应社会环境的独立思考能力、感受力和行动能力，初步觉醒的自我意识会支配他们强烈的表现欲，即处处想体现自己，想通过展示自己和别人的不同来证明自己的价值。所以，这一时期的孩子总是喜欢和别人打扮得不一样，喜欢做一些引人注目、与众不同的事情，也爱说一些令人吃惊的话，希望别人能够对他们另眼相看，这就是他们想要的效果。如果了解到这些，相信很多父母就不难理解孩子这一时期的情绪化表现了。

但是面对情绪化的孩子，父母不能听之任之，而是要积极做起“情绪调节专家”的工作。要做一个合格的调动情绪和调节情绪的专家，你必须首先明确以下前提——要想转变孩子的行为，必须首先转变孩子的情绪。

你可以回想一下自己的经历，如果自己心情不好，行为肯定也好不到哪里去，更何况那只是一个十几岁的孩子。他难免会烦躁或者不服从教导，如果你指望他们会自己由“乌云密布”转为“阳光灿烂”就大错特错了。

我们每天的情绪不仅会受到当天所发生的事情的影响，而且也取决于我们的大脑和身体里面的化学反应。

肾上腺素可能是不受家长欢迎的化学物质。当肾上腺素大量存在时候，它会让人冲动和丧失理智。当孩子体内肾上腺素激增的时候，试图改变他的行为可以说是白费力气。肾上腺素分泌与遗传和周围的环境相关，肾上腺素分泌过多的孩子常常会表现为行为缺乏理智，过度“亢奋”，一生气就跑掉，喜欢和人小吵小闹，看上去忙碌无比实际上收效甚微。为了减少肾上腺素的分泌，家长应该努力营造一个有规律和规矩分明的家庭环境。如果孩子因为这种激素分泌过多而出现情绪混乱的时候，你可以平静地告诉他解决办法，并且说这是我们家的惯例。这会增加孩子的安全感，并且能够冷静下来思考自己的行为。其实，肾上腺素也不是十恶不赦的，父母也可以利用它做些对孩子有益的事情。最好的办法就是让孩子和时间来一次赛跑。比如让孩子收拾玩具的时候，可以这样说："让我们试一试能不能在 5 分钟之内把房间打扫干净！"

皮质醇是另外一种不受欢迎的化学物质，它是人们承受压力并且产生紧张感时分泌的一种激素。它不仅会降低孩子的语言表达能力，还会影响人灵活处理问题的能力。人在压力之下做事常常毫无章法可言就是这个原因。皮质醇水平过高的孩子经常坐立不安，爱生气，防御心理很强，做事不分主次。为了减少孩子们皮质醇的分泌，让他们经常处于安静平和的状态，除了维持有规律的家庭生活外，还要避免让孩子们遭受暴力和语言上的羞辱。良好的睡眠也可以减少皮质醇的产生。

多巴胺和羟色胺则是能给人带来激情和快乐的物质，这两种物质分泌不足，孩子就会做事缺乏积极性，精神疲倦，情绪低落，不爱说话，不喜欢与他人进行交流。要改变这些情况，家长要带着孩子积极参加运动，多多鼓励孩子，夸奖孩子。如果发现孩子经常处于忧郁状态，还要及时带着孩子去医院检查，因为羟色胺的缺乏极有可能引发抑郁症。

◇ 性别分界 ◇

这种现象是孩子们心理发育正常的标志，表面的对立，背后实际上潜藏着相互间的吸引和好感。面对这个年龄段的孩子忽然产生的行为变化，家长和老师要注意营造和谐的气氛，杜绝有攻击性的行为，在严格要求孩子的同时要充分相信他们，另外还要扩大孩子的交往范围，帮助孩子养成与他人合作的习惯。

高情商家教思维

1. 你的孩子问过你自己是从哪里来的吗？ 你是如何回答孩子有关生命诞生的问题？

____

____

____

2. 在小孩的孕育和成长过程中，你记忆犹新的事情是：

____

____

____

3. 你的孩子是什么年龄开始独立上卫生间的？ 在此之前，你都给予了什么样的帮助？

____

____

____

4. 你的孩子是什么时间开始有性别分界的？ 你是如何引导的？

____

____

____

5. 孩子进入青春期常见的几个反常现象你注意到了吗？ 你认为父母应该怎样做？

____

____

____

第三章

教育孩子要懂的儿童认知心理学

孩子怎么记不住老师的话

文羽今年开始上幼儿园了，她非常喜欢那里，每次从幼儿园回来都显得无比兴奋。星期一的早晨，妈妈又要送她去幼儿园了。文羽穿着妈妈给她新买的蓬蓬裙，一路上蹦蹦跳跳的，就像一个活泼可爱的小公主。但是当她们走到教室时，妈妈感到很奇怪，因为她发现文羽所在的班上几乎每个小朋友都穿着运动服，于是妈妈就问文羽："小羽，今天要穿运动服吗？你怎么没告诉妈妈这件事情呢？""妈妈，我不知道今天要穿运动服呀！"文羽轻松地回答。妈妈听了心里顿时觉得很担心："怎么小朋友都知道的事情就小羽不知道呢？莫非小羽在幼儿园不专心听老师说话？"

儿童心理学家研究发现，类似文羽的这种行为，几乎每个孩子都出现过，只是有的孩子出现得明显些，情况严重一点，有的孩子的情况没有那么明显。

婴儿一生下来就有注意，但是这种注意是不受孩子大脑控制的，是一种先天的定向反射，是无意注意的最初形态。

婴儿期注意的发展主要表现在注意选择性的发展上。1～3个月的婴儿比较容易受到复杂的、不规则的图形的吸引，更喜欢曲线形状的、集中的或对称的刺激物；对3～6个月的婴儿来说，他们的视觉注意能力会在原有基础上进一步提高，平均注意时间增加，在注意时更偏爱复杂而有意义的对象，看得见的和可操纵的物体更能引起他们特别的兴趣和持久的注意；而6～12个月的婴儿的注意对象和注意选择性在范围和内容上会更进一步扩展，他们的选择性注意越来越受知识和经验的影响与支配，受当前事物（或人）在其社会认知体系中的地位以及他们所知的自己与它们之间的关系的支配或影响。1岁以后，由于语言的出现，婴儿的注意与语言紧密联系起来，成人的语言提示或指导对婴儿的注意能够起到一定的制约和调节作用。

在幼儿时期，儿童的注意主要以无意注意为主，随着年龄的增长，儿童的有意注意逐渐发展起来。幼儿的有意注意也有一定的发展过程。儿童三四岁时的有意注意还不是很稳定，还需要成人有计划地向他们提出需要完成的任务的要求，帮助他们提高注意力。当儿童到了五六岁的时候，他们就开始能够独立地组织和控制自己的注意力了，这标志着儿童的有意注意开始形成。但是，在幼儿时期，儿童的有意注意始终具有明显的不稳定性。

另外，除了儿童的有意注意和无意注意的逐渐发展外，儿童注意的稳定性也随着年龄的增长逐步有所发展。科学家的实验研究证明：在良好的教育环境下，3 岁幼儿能够集中注意力 3～5 分钟，4 岁幼儿能够集中注意 10 分钟左右，5～6 岁的幼儿能够集中注意 15 分钟左右。此外，由于游戏能引起幼儿极大的兴趣，所以现实生活中，处于游戏中的幼儿的注意时间会比在枯燥的实验室条件下还要长。

幼儿注意范围比较小，但是随年龄的增长，注意范围逐渐扩大。如幼儿园小班的儿童，一般只能注意到具有很鲜明特征的事物外部特点以及一些动作，比如火车或者轮船发出的汽笛声；幼儿园中班的儿童能注意到事物的不明显部位及事物之间的简单关系，比如火车、轮船的去向和忙碌的旅客，以及他们的表情之间存在的关系；大班儿童则开始对火车、轮船为什么能开动，船为什么在水上不会沉等内部状况或原因产生极大的兴趣。

以“我”为中心的孩子

鹏鹏今年4岁，特别招人喜欢。一天，家里来了一位客人，这位客人问他：“嘿，鹏鹏，你有兄弟吗?”

“有。”鹏鹏很自豪地说。

“他叫什么名字?”客人问道。

“他叫龙龙。”鹏鹏说。

“那，龙龙有兄弟吗?”客人故意逗鹏鹏。

这下可把鹏鹏难住了，龙龙有兄弟吗？他很认真地思考了一会儿，非常肯定地说：“没有!”

看到鹏鹏的回答，你一定会觉得十分好笑。但是，对于一个4岁的孩子来说，这个回答是十分正常的，因为此时的儿童是以自我为中心的。由于2~7岁的儿童的心理表象与直接感觉到的事物的形象联系十分直接，也十分密切，因而形成了这一时期思维另一个特点：自我中心。所谓自我中心，就是指儿童往往只注意主观的观点，不能从客观事物的角度出发，只能从自己的角度来思考问题，只能考虑自己的观点，无法接受别人的观点，也不能将自己的观点与别人的观点相协调。

瑞士心理学家皮亚杰曾做过这样一个实验，来测验儿童的自我中心的思维特征：

他布置了一个风景秀丽的假山模型，模型包括三座高低、大小和颜色不同的山。他先让儿童从四个方向对山进行仔细的观察，而后交给儿童四张这座山的侧景照片。然后实验者又让一个布娃娃在山的各处走动，当布娃娃停留在山的某一侧面时，他让儿童从四张照片中取出一张布娃娃面对的山的风景照。结果，受试儿童取出的照片并不是娃娃面对的那座山的照片，而是他自己面对的那座山的照片。这个实验说明，幼儿还不会站在别人的立场上来观察世界、分析问题，只能站在自己的立场上去看问题。

日常生活中我们也常常可以发现幼儿的思维有以自我为中心的特点。如幼儿知道自己有个哥哥或姐姐，但不知道他的哥哥或姐姐是否有他这个弟弟。生活中还有一个明显的例子是关于左右手的分辨。儿童很早就能认识自己的左右手，但是却要隔很长一段时间才能分清别人的左右手。

自我中心是儿童早期自我意识发展的一个必然阶段，但是如果父母能够从旁引导儿童，可以缩短儿童以自我为中心的思维方式。不过想帮助儿童走出自我中心，父母必须需要采取科学的教育方式，这个引导必须建立在正确认识儿童自我意识发展规律的基础上。父母应该主要从以下几个方面努力，来促进儿童自我意识的健康发展。

1. 引导孩子设身处地地为别人着想

帮孩子走出自我中心，需要父母的引导。作为家长，应该通过讲故事、做游戏和打比喻等手段引导孩子认识他人、理解他人和同情他人，促进孩子从“自我”走向“他人”，由自己想到别人。

例如，一对父母带着孩子去拜访朋友，朋友家的孩子正在吃苹果，朋友就叫自己的孩子拿一个苹果给来玩的孩子吃，但孩子不肯，朋友就开导他说：“小朋友到我们家来玩，我们应好好地招待人家。如果你去别的小朋友家玩，人家只顾自己吃东西而不给你吃，你会高兴吗？”孩子说：“不高兴”。朋友接着说：“对呀，所以我们要给小朋友吃，他才会高兴呀。”通过一个比较，朋友家的孩子就很开心地拿出苹果来了。

2. 转移家庭注意的焦点

为了避免孩子的自我中心，父母应该有意识地转移家庭注意的焦点，把孩子视为一个独立的人，一个与其他家庭成员平等的人。这样就会使孩子不但能正确地认识自己，也能看到别人。

3. 让孩子多多参加集体活动

集体活动能使孩子品尝到成功带来的喜悦，体验到与他人合作的意义，走出自我中心。过度保护、封闭，会使孩子失去与他人游戏的机会，也会使孩子失去认识他人价值的机会。

智力发展有规律，避免“填鸭式开发”

> 小勇今年4岁了，在妈妈的精心教育之下，他的智力发展一直都很好。但妈妈担心自己的疏忽会影响小勇的智力发展，为此，妈妈带小勇去做心理咨询。了解了妈妈的担忧，心理咨询专家告诉妈妈，其实人的智力是随年龄增长而增长的。从出生到十六七岁的这段时间里，智力发展呈上升趋势，之后智力发展速度减慢，但还是有所升高。22～30岁这段时间智力发展达到顶峰，并保持这一水平。35岁之后，人的智力水平会有所下降，但幅度不大。只要教育得当，是不会对孩子的智力造成影响的。听了专家的话，妈妈终于松了一口气。

根据心理学家的研究，人类的智力水平随着年龄的增加而增长。但是，智力增长过程是怎样的？成长曲线是等速的还是加速进行的？智力在多少岁达到高峰？研究者对这些问题的看法和意见并不一致。

但是大多数的研究都表明，人的智力发展水平是有一定的规律的，呈现出最初逐渐升高、最后又有所下降的特点。

在出生到16岁的这段时间内，智力发展呈上升的趋势，且智力发展速度最快；此后智力发展速度虽然减慢，但是依然有所升高。大约在22～30岁这个时间段，人的智力发展达到顶峰，并一直保持这一水平。35岁后，人的智力开始逐渐下降，但趋势并不明显。

李先生是一家汽车制造厂的副总裁，为了开发儿子的智力，李先生从来都舍得大把大把地花钱，经常给儿子买各种各样的电动玩具、小人书，周末还带儿子去“开智班”进行智能训练。然而让李先生没有想到的是，儿子现在经常对着各种小玩具发呆出神，或者先玩一下积木，然后又去玩电动狗，不一会儿又开始玩机器人，就这样东摸摸、西碰碰，几乎把所有的玩具都翻了一个遍，但是还是无精打采的。

最让李先生吃惊的是，有一天晚上，他下班回家的时候，看见儿子坐在地板上，眼神空洞地望着一堆玩具发呆，看到爸爸回来，儿子忽然冒出了一句：“爸爸，我好无聊啊！”李先生百思不得其解，他实在不明白儿子小小年纪为什么会说出这样的话，自己在孩子身上下了那么大的功夫，去开发他的智力，为什么不见成效，反而把一个原本活泼的孩子变成了一个经常“无聊”的人呢？

其实，在儿童的智力开发中，这是很常见的事，这种现象通常被称作“智力厌食症”，也就是说儿童像厌食一样，对各种形式的智力开发活动产生了厌恶的情绪。这种情绪常常不是通过情感宣泄表现出来的，而是一种无意识的表露。“智力厌食症”常常表现为对以前十分喜欢的玩具产生厌倦，经常独自一个人发呆，对父母、教师布置的任务总是拖延时间完成，更为严重的可能会导致儿童厌食、失眠等。

据研究，造成这种所谓的“智力厌食症”的最主要原因是父母违背了智力开发理论的第四个方略——最近发展区理念。所谓“最近发展区”，就是离孩子当前智力水平最近的那个区域，它处在当前智力发展水平稍高的地方，但又不是太高。就像我们摘树上的桃子，这个桃子我们站在地上伸直胳膊够不着，但如果我们稍微跳一跳，努力一下，就能摘着了。这个桃子的位置，心理学中就叫作“最近发展区”。对孩子的智力开发就是要开发最近发展区的智力。儿童心理学研究表明，任何人的智力发展都有一个“最近发展区”，儿童尤为明显。如果父母求胜心切把孩子智力发展的目标定得过高，超过了最近发展区，那么就会给孩子带来压力，容易产生“智力厌食症”。

对于李先生的儿子那样的“智力厌食症”，最好的办法就是降低难度，减少刺激，而且最好进行几次“情绪宣泄”疗法，让孩子把不良情绪释放出来。“情绪宣泄”疗法对不同年龄阶段的人，具体的做法各不相同，对孩子来说，最有效的就是玩游戏，让孩子尽情玩耍，不要怕孩子“玩野了”。孩子把心中的不快通过游戏宣泄之后，就可以减轻压力，消除“智力厌食症”。

智商与天才没有必然关系

军军今年5岁了，是一个人见人爱的小男孩。“五一”长假期间，小区里举办了一个“为了孩子的明天”的活动，其中有一项是为孩子测智商。妈妈一向很重视对军军的教育，也带军军参加了测试。经过半个小时的测验，结果终于出来了，妈妈迫不及待地问测试的老师：“我家军军的智商是多少啊?”“105，你家小孩挺聪明的。”听到这个结果，妈妈并不高兴，因为在军军3岁时曾进行过一次智商测试，那时军军的智商是117。妈妈纳闷了，怎么军军的智商下降了，难道是自己的教育出了问题吗?

智商（IQ）这一概念是由美国心理学家首先提出的。在这一概念中，把智力年龄（MA）和实际年龄（CA）的比值称为智商，具体计算公式为：IQ =（智力年龄 / 实际年龄）×100。

这个概念说明，如果一个儿童的智力年龄与实际年龄相当，那么不论他有多大，他的智商总是100。如果一个4岁的儿童智龄是6岁，那么他的智商是150，一个10岁的儿童智

龄是12岁，那么他的智商是120。

那么儿童的智商（IQ）随其年龄的增长是稳定不变的吗？如果一名儿童4岁时的智商为100，到了8岁或12岁的时候，他的智商还是100吗？智力测验有预测的功能，人们在用智力测验做预测时，一般都假定智力是相当稳定的。但实际上，智商有其稳定性，也有一定的可变性。首先，婴儿时期的智力测验结果不能很好地预测以后的智力发展。但是随着年龄的增长，儿童的智力趋于稳定。就同一名儿童来说，随着年龄的增长，他的智商也不是一成不变的，绝大多数儿童的智商都会出现一定程度的变动。造成智商变动的原因可能是：智力发展的速率存在着个体差异。比如，有的先快后慢，有的则是先慢后快，这会导致多次测验分数的起伏；此外一些测验题目可能过分强调了某一个方面的知识或某种技能，而有无机会习得这些知识或技能也会造成智商偏高或偏低的现象。前者是智力本身的变化，后者则是测验本身的效度问题。

"哗——"，两盒牙签落在地上，服务员连忙道歉，而雷蒙却愣愣地盯着一地的牙签出神，不一会儿，他脱口而出："198根。"

弟弟瞅了他一眼，问服务员："是198根？"

"每盒100根，应该是200根。"服务员答道。

"198根。"雷蒙似乎没有听到服务员的回答，执拗地重复着，弟弟一笑，想拉他走。

"等一等，"服务员突然说："对不起，应该是198根，这里还有两根。"在他手中的一个牙签盒里还有两根未掉落的牙签。

这是影片《雨人》中的一个场景。那个叫雷蒙的人，自幼住在精神病院，智商仅为50，远远低于常人，然而他却有着惊人的记忆力、计算力和视觉判断力。像这种低智商与一种或数种高度发达的特殊才能并存的病例，在心理学上称为"白痴学者"。如果我们不知道雷蒙的真实情况，我们很可能在心里惊呼："天才！"

智力超常儿童是指智商在140以上的儿童，美国心理学家推孟称之为"天才"，我国古代称之为"神童"。

一些家长非常关心智商高是否意味着孩子是天才。研究者通常认为，天才的真正含义是在某个或某些领域具有一定历史时代所能达到的最高或较高的认识能力和实践能力的人，而高智商与天才之间往往并没有必然的联系。

有些天才只具有超过平均或者是普通的智力，有些天才的智力水平甚至是远远低于平均水平，也就是所谓的"白痴天才"或者"白痴学者"。以下几个方面有助于我们鉴别天才儿童：

（1）有旺盛的好奇心、求知欲和创造性。

（2）有丰富的想象力。

（3）有广泛的兴趣。

（4）思维敏捷，善于解决问题。

（5）有较强的组织、概括能力，思维具有逻辑性。

（6）有较高的比较、判断能力，不盲从，依赖性小。

（7）较高的忍耐性，对已定目标有坚持下去的决心。

然而，这里需要强调的是，即使对于天才儿童，正确的引导和教育、适宜的成长环境也是至关重要的。对家长来说，最重要的并不是请专家鉴定自己的孩子是不是天才，而是科学、全面地了解自己的孩子，不仅包括智力方面的特点，也包括非智力方面的特点；并且为他提供适宜的环境和恰当的教育方法，使他的潜能得以充分挖掘。

男孩比女孩聪明吗

小雨今年上初三，马上就要参加中考了。对于即将到来的中考，小雨心里没有一点把握，她不知道自己能否顺利考入市重点高中。其实，小雨的成绩一直很不错。小学的时候，她一直是班里的第一名，小学升初中时，她又以全校第一名的成绩考入了这所重点初中。

上初中后，她的成绩依然名列前茅，从来没有出过前三。照理说小雨没有发愁的必要，可是她为什么会担心自己考不上重点高中呢？其实，主要问题出在小雨的奶奶和妈妈身上。她奶奶和妈妈经常在她耳边唠叨说，女孩子小时候聪明，长大了就不行了；别看上小学时成绩很好，可一到中学就不行了，明显不如男孩子了……诸如此类的话小雨听得耳朵都起茧子了。听得多了，小雨也开始怀疑，难道男孩真的比女孩聪明吗？

男女两性之间的智力发展存在差异吗？ 许多专家研究发现，虽然男女儿童在身体结构、体质等方面确实存在一定的差异，但是性别差异并不影响人的智力。 整体而言，智力在男女儿童之间并不存在明显的差异，但是在智力发展的速度和智力的结构上还是存在一定的区别的。

多数心理学家研究揭示，在幼儿园阶段，男女儿童智力发展的速度几乎相等。所以，男女儿童的智力没有明显的差异。不过从小学开始，女孩的智力发展速度开始超过男孩，因此女孩的智力在这一时期明显优于男孩。到中学时期，男孩的智力发展速度开始比女孩快，因此男孩的智力明显优于女孩。

有研究发现，非智力因素会造成男女在智力上的差异。比如，在小学阶段，男孩和女孩在数学上旗鼓相当，但到了高中，男孩略微胜出，到了大学则占明显的优势。有研究者在研究中得到这样一个结论：这一智力差异很可能是由男性和女性学到了不同的归因方式而导致的。比如，男性往往表现出更为适应的归因方式——认为成功缘于能力而失败归于运气；女性则倾向于认为失败是因为缺乏能力，这是一种不良的归因方式。

由此可见，男女智力发展并不存在显著的差异，即使有差异的存在也可能是由非智力因素导致的，而不是智力因素。

虽然男女的智力发展水平并不存在显著的差异，但是男女儿童在智力的某些方面有不同的特点，各具特色：

（1）在智力活动的某些方面，男女儿童各有所长。女孩的语言表达能力一般优于男孩，女孩通常说话早，词汇比较丰富，语言缺陷较少，口吃患者多见于男孩，而男孩在判断推理能力以及摆弄拆装物体方面的能力常胜于女孩。女孩的形象思维比较好，考虑问题周到、细致，男孩的抽象思维和创造性思维则比较强。另外，女孩的触觉、痛觉及听觉分辨能力比较敏锐，尤其是手指尖的感觉发展较快，能较早地学会做比较精细的动作，而男孩以视觉分辨及视觉空间能力见长。

（2）男女儿童之间存在特殊才能的差异。一般来说，女孩的表演才能占优势，而男孩操作和运动方面的才能占优势。

男女儿童智力各具特色，但对于每个具体的人来说又可能出现各种不同的情况，所以家长应该根据自己孩子才能的具体情况扬长避短，克服缺点、发挥优势，使孩子的聪明才能能够得以充分发挥。

不要错过孩子语言发展的关键时刻

卡玛拉 1912 年生于印度，当年被狼叼走，与狼一起生活了 8 年。后来她被救回来并送到附近的一个孤儿院，由辛格牧师夫妇抚养。回到人类社会的第一年，卡玛拉只有狼的习性而没有人的心理，她不会思考，不会说话，用四肢行走，睡觉也和狼一样。卡玛拉经常半夜起来在室内外游荡，像狼一样嚎叫，吃饭、喝水都是在地上舔食。入院 6 年时，她能说出 30 个单词，智力达到两岁半的水平。第七年，卡玛拉基本上改变了狼的习性，能与正常孩子生活在一起，能说出四五个单词，能用三言两语表达简单的意思，能唱简单的歌。她 17 岁死去时的智力才达到 3 岁半儿童的水平，仅知道一些简单的数字概念，学会了 50 个单词。

狼孩卡玛拉的例子说明：如果错过了智力和语言发展的关键时期，后来的教育也难以起到太大的作用。

正常情况下，婴儿主要是在后天环境中不断接受语言的刺激，通过模仿成人的语言，逐渐学会说话的。 儿童心理学家认为，整个婴儿期都是学习语言的准备期。当母亲与2个月左右的婴儿说话时，可以发现孩子的小嘴一动一动开始做出回答，这就是母婴对话的萌芽。6~7个月的孩子开始认生，这时父母应给他看各种景色、事物，听各种声音，同时用语言告诉孩子这些图片和声音的内容，使他留下记忆，为未来学习口语打下良好基础。当孩子能理解大人说话的意思时，可采用“模仿游戏”“命名游戏”等方法促进孩子语言的发展，如喂饭时说“吃饭”，客人离开时教孩子说“拜拜”之类。

2~3岁是学习口语的最佳年龄。如果这时候妈妈能够利用孩子喜欢“语言游戏”的特点，抓住时机多与婴幼儿说话，反复发某个音或某些词语都会使他感到兴奋、喜悦。

尽管心理学界对语言关键期的具体时间仍有分歧，但是人们都支持语言发展的确存在关键期。一般认为口头语言学习的关键期是在2~3岁，书面语言学习的关键期是4~5岁，所以人的一生中学习语言最好的时期是1~5岁。这个时期孩子学习语言既轻松又迅速，其效率是任何成年人都无法比拟的。但是如果训练不当，孩子就会丧失语言能力或者成年后自我表达能力非常差。因此父母一定要抓住学习语言的最佳年龄，积极发展儿童的语言能力，为孩子未来良好的沟通能力打下基础。

家长在帮助幼儿学习语言的时候，可以参考以下方法：

（1）积极发展儿童的语言能力，在儿童已有词汇和经验的基础上，不断扩大和丰富儿童的词汇范围。例如，可以有意识地训练孩子叙述见到的事情的能力，并注意纠正孩子的错误用词和多余的话；如果孩子讲得正确，要及时给予表扬，使孩子形成正确的语言表达方式。

（2）由于孩子年龄小，说话的时候难免会有错误和缺点，这个时候家长千万不要嘲笑孩子，不要故意重复他的错误和缺点，而要进行正确的示范。

（3）因为儿童语言的主要特点就是模仿，理解能力很差，所以即使周围的人存在语言上的错误，孩子也会照搬不误。家长应该尽量不让孩子同说话粗鲁、口齿不清的人接触，而要让孩子多向广播、电视里的人学习发音。

（4）给孩子提供尽量多的语言交流机会。例如，经常同孩子谈话，教孩子说歌谣，让孩子自己讲故事等。

（5）鼓励孩子多说话，如果有条件，可以让孩子学习一门外语。但是对孩子的外语学习要求不能过高，可以学习一些简单的句子和单词。在幼儿期间学习的外语，对孩子将来在学校以及长大成人后的外语学习都能起到非常深远的影响。

孩子可能走进的语言误区：外延过度和外延不足

南南今年2岁了。这天，爸爸妈妈要带她去动物园玩，南南早就听妈妈说动物园里有很多动物——老虎、狮子、大象、小猴子……虽然这些动物南南已经在画报上见过了，可她还是想去动物园看。吃过早饭，妈妈就要带南南去动物园，为了快一点收拾完，妈妈就对南南说："南南乖，去帮妈妈拿一下鞋子。"南南非常听话地跑去拿鞋，不一会儿就回来了，可她手里拎的却是自己的一双小皮靴。妈妈见她把自己的小皮靴拿来了，就问南南："南南，妈妈的鞋子呢？"南南想了想，还是把自己的鞋子递给了妈妈："皮鞋，妈妈。"显然，在南南的思维中，"鞋子"就是特指她自己的鞋子。

随着年龄的增长，儿童掌握的词汇量不断增加，而且对自己所掌握的每一个词本身的含义也逐渐明确，理解也逐渐加深，但总的来说，和以后的发展比较起来，这个时期的词汇还是贫乏的，概括性也很低，理解和使用上也常常会发生错

误。儿童使用单词的方式与成年人是不一样的，儿童开始使用单词的时候明显存在着词义扩大和词义缩小的倾向。也就是说，儿童用词的时候会出现外延过度和外延不足。

外延过度是指将一个单词包含的词义扩展至比习惯用法更广的范围。例如当孩子学会用“狗”这个词的时候，看见猫、兔子和牛，他也可能用“狗”来称呼它们，这是因为孩子认为所有四条腿的小动物，或所有会活动的小动物，或者有毛的小动物等都叫作“狗”，甚至也可能见到任何毛茸茸的物体，如鸡毛掸子等也叫“狗”。词义扩张的倾向在 1 ~ 2 岁时最为明显，约 1/3 的词会被扩大运用，到 3 ~ 4 岁的时候这种情况会逐渐被克服。

外延不足是指缩小习惯用词的词义，表现为对一个词的可用范围理解过窄，把单词仅仅理解为最初与词结合的那个具体事物。例如“狗”这个词只是专指自己家养的那条狗，当看到其他的狗的时候，孩子就不知道那个东西要怎么来表达。随着年龄的增长以及知识经验的积累和抽象概括能力的发展，孩子对单词的理解外延不足的倾向也会逐渐减少。

凡是儿童能够正确理解又能正确运用的词，称为“积极词汇”。有时候幼儿虽然会说出一些词，但是他并不理解，或者虽然有些理解却不能正确使用，这样的词被称为“消极词汇”。消极词汇不能正确表达思想。虽然幼儿已经掌握了许多积极词汇，但也有不少消极词汇，因此常常发生语言混乱的现象，例如把“解放军”与“军队”混用。因此父母在发展儿童语言能力的时候，应该注重发展幼儿的积极词汇，促进消极词汇向积极词汇的转化，不要满足于孩子会说多少词，而是要看孩子是否能正确理解和使用这些词。

另外，父母在教孩子说话的时候还要注意最好不要教孩子“奶话”。“奶话”指当刚出生 8～9 个月的婴儿，随着成人的语音刺激“咿咿呀呀”学话时，父母教给孩子的诸如“喵喵（猫）”“汪汪（狗）”之类的话。这些话虽然生动有趣，符合孩子的特点，有助于孩子形象思维的开发，但是却不利于孩子抽象思维的培养。其实，对于孩子来说，记住“猫”和“喵喵”所花的时间差不多，而前者是迟早要学的语言，后者却是以后要抛弃的语言。因此，为了使让孩子的语言能力得到良好的发展，家长在教孩子学说话时，最好直接教孩子比较正式的理性词汇。

孩子什么时候才能理解你的“正话反说”

小敏已经5岁了，星期天妈妈带她到游乐场玩。一进游乐场，小敏就被深深地吸引了。妈妈陪小敏在游乐场疯玩了两个小时，想休息一下再带小敏去玩，谁知道公司打电话要妈妈去加班。所以妈妈只好跟小敏说：“小敏，乖，我们回家吧！妈妈下午有事，改天再来……”“不，我还没玩够呢！”“妈妈下午要加班，我们必须回去……”妈妈苦口婆心地说了半天，小敏就是不肯出来，妈妈生气了地说：“好啊，你自己去玩啊。”谁知道小敏听到这句话竟然真的又跑去玩碰碰车了。

有一次妞妞不小心把牛奶打翻了，妈妈对她说：“看你干的好事！”结果第二天，妞妞故意把牛奶打翻，然后高兴地冲着妈妈喊：“妈妈快来呀！我又干了一件好事！”妈妈看见之后哭笑不得。

2～4岁是孩子发展自我意识和语言能力的关键期，虽然此时孩子已经会说很多话，但是对语意的理解仍然处于发展

中，所以经常出现词不达意的情况。在孩子本身理解能力有限，家长还要经常“正话反说”的情况下，孩子就会感到困惑，不利于孩子理解能力的发展，而且家长与语意完全不同的表情让孩子无法猜测家长的真实意思，这也不利于亲子沟通。

家长在一气之下，偶尔说些气话来发泄一下是难免的，但是千万不要总是用反话去刺激孩子，否则孩子就会在遇到同样的情况时用这些反话去“安慰”别人，因为他分不出“正话”“反话”，他只会有样学样地套用家长的话，这很可能会影响孩子与他人的沟通，让别人误解，认为孩子不讲礼貌，没有同情心。

幼儿对话语中讽刺意图的理解能力，以及对诚实话和讽刺话以及侮辱性话的辨别能力相当迟才出现。他们常把成人的反话当作正面话理解。如幼儿擅自过马路，妈妈说，“你再走走看”，他就更向前走。幼儿把爸爸的书乱扔，爸爸说，“好啊，你把我的书扔得乱七八糟”，孩子就会扔得更起劲。

有一个研究小组考察了小学生是否能理解隐含在话语中的讽刺意义。例如，说话者明明知道一个人跑得很慢，但却对这个人说：“你跑得真快！”结果发现，一年级小学生还不能理解这句话的真正意义，三年级学生才基本理解。

由于幼儿的思维通常是具体形象的，他们不善于分析事物的内在含义，难以理解语言的寓意、转义，所以在对幼儿进行教育时，家长一定要坚持正面引导，并且辅以肢体语言让孩子清楚地明白家长要表达的意思，切忌讲反话，切忌嘲笑、讽刺幼儿。例如，孩子做完游戏后很兴奋，回家后还不能安静下来，这时候爸爸如果生气地说：“你再吵，我就给你点颜色看看。”孩子很快就会安静下来等着看“颜色”，因为他们并不理解此处的“颜色”是什么意思。还有当父母带着孩子出去散步的时候，如果孩子缩脖、猫腰，父母却讽刺地说：“你走得真好啊，跟个小老头一样。”孩子听了，不但不会挺起腰来，反而会更大幅度地缩脖、猫腰。其实是孩子没有理解父母的正话反说。在批评孩子的时候，最好是坚持正面引导的原则，用具体形象的榜样感染、影响幼儿，空洞的说教和嘲讽，无论是对孩子心理的发育，还是对孩子语言能力的发展，都是有害无益的。

◇ 走出自我中心 ◇

要让孩子走出自我中心，父母的引导十分重要。作为家长，应该通过讲故事、做游戏和打比喻等手段引导孩子认识他人、理解他人和同情他人，促进孩子从“自我”走向“他人”，由自己想到别人。

高情商家教思维

1. 你的小孩有没有忘记老师交代的事情的现象？ 你是如何解决的？

2. 父母如何帮助和促进孩子自我意识的健康发展？

3. 儿童智力发展的规律是什么？ 你对儿童智商的高低怎样看？

4. 在孩子语言发展的关键时期你应该怎样做？ 怎样避免掉入语言发展的误区？

5. 你经常给孩子说“反话”吗？ 孩子是否可以理解？

第四章

教育孩子要懂的儿童发展心理学

抓住敏感期，让教育事半功倍

大家都熟悉印度“狼女”的故事，这两个女孩子被狼群带大。当她们被带回人类社会的时候，一个七八岁，一个大约两岁。后来小一点的孩子不幸去世了，而那个大一点的女孩仅仅学会了几个单词，智力水平只相当于普通的婴儿。

在第二次世界大战时期，一个士兵在森林里迷了路，在深山里过了20多年与世隔绝的生活。当人们把这个士兵带回人类社会之后，他只在开始的一段时间出现了语言障碍，说话的时候有些词不达意，但是没用多久他就能够顺畅地与人交流，把自己在深山中的经历讲给很多人听。后来这个士兵还娶妻生子，过上了正常人的生活。

同样都是与世隔绝，为什么结局会有天壤之别呢？ 其中的奥秘就在于儿童的“敏感期”。 “狼女”所有重要的敏感期都是在狼的世界度过的，即使人类想尽了办法也无法让她回归社会，而她的心智也永远不可能回到正常的水平。 而那个士兵虽然在森林中独自度过了 20 年的时光，但是他发育成长的所有敏感期都是在人类社会中度过的，那时候他的心智已经基本定型，所以只需要短暂的恢复期，那个士兵就可以顺利地回归正常的生活。

这些事例告诉我们，教育的“关键期”就在儿童时代，这个时期是孩子特定能力和行为发展的最佳时期。处于敏感期的孩子对于外界的刺激有着敏锐的感觉，很容易接收环境中的信息。蒙台梭利曾经这样描述敏感期的孩子和外界环境的关系：“孩子爱恋着环境，和环境的关系有如恋人同伴一样。”

虽然儿童的敏感期现象是在幼儿的教育领域发现的，但是自然科学的研究也为这个时期的存在提供了证据。美国大学儿科神经生物学家哈利·丘加尼教授对婴儿大脑进行扫描后发现，婴儿大脑的各个区域在出生后会一个接一个地活跃起来，并逐渐建立起联系。科学家把大脑接收外部信息的时间段称为“机会之窗”，“机会之窗”会打开也会关闭，当它打开的时候孩子学习东西会变得容易、轻松，当“机会之窗”关闭的时候，学习会变得艰难。其实这个生理上的“机会之窗”就是幼儿心理学中的“敏感期”。

敏感期是自然赋予孩子顺利成长的生命助力，为人父母者与其逼着孩子痛苦地学习某些技能，不惜一切代价让孩子赢在起跑线上，不如耐心地等待孩子敏感期的到来，让他们遵从心灵导师的指引，自发自主地快乐学习和成长。抓住敏感期，不仅会让学习变得轻松愉快，而且事半功倍。

让孩子体会改变世界的乐趣

最近，原本喜欢户外活动的晓峰忽然喜欢上了“宅”在家里。那么他在家里干什么呢？原来他喜欢上了剪纸游戏。

他总是先拿出一张纸来折叠，折好折痕之后就拿出剪刀沿着折痕去剪纸。他的手很灵活，总是能够按照折痕把纸剪得整整齐齐的，然后他会把自己剪好的小纸片小心翼翼地装进一个塑料袋里边保存起来。

娜娜今年3岁半，她前一段时间突然迷上了剪纸，不过剪得很不好。但是妈妈没有嘲笑她也没有训斥她，而是提供了足够的纸让她自由发挥。后来大约过了一个月，妈妈惊奇地发现女儿已经不是乱剪一气了，而是开始喜欢按照一条线来规规矩矩地剪。后来她又让妈妈给她买来剪纸的书，然后她就顺着线剪出各种各样的形状。她的房间里贴满了她的剪纸作品。

后来她对剪纸失去了兴趣，爱上了涂涂画画。开始的时候同样是乱涂乱画没有一点章法，但是现在她不仅

能够按照线涂出物品的形状，而且也学会了很好地搭配色彩。

其实，孩子到了三四岁的时候会自然地爱上剪、贴、涂的动作，并且能够专心致志地做这些事情做上好久。至于他怎么来完成他的作品，或者他的作品到底体现了什么样的主题，就只有孩子自己知道了。父母要做的就是给他提供材料，让他去完成这些事情，尽量不去打扰他。在这个过程中，孩子能够学会使用一些简单的工具，比如剪子、小刀等。他们创作的过程也是孩子享受改变世界的乐趣的过程。

孩子在剪、贴、涂的过程中，提高了动作的灵活性。此时他们虽然还不能做更精细的动作，比如写字、创作一幅真正的画，但是他们做剪纸或者剪图这样的动作是不难的。开始的时候，父母不要强迫孩子一定要剪成什么形状，让孩子随意地去剪。在这个过程中，孩子手的灵活性已经得到了提升，随后孩子自然而然就能够更灵活地把纸片剪成自己喜欢的形状。

孩子在这个敏感期，不仅喜欢剪纸，还会喜欢涂色。当然这也是孩子色彩敏感期和绘画敏感期的表现。为了让孩子顺利地掌握这些技能，父母可以为孩子提供一些涂色或者教孩子涂鸦的书，给孩子讲解书中的内容，指导孩子去模仿和学习。随着孩子使用笔的能力的提高，他们会逐渐形成自己的想法，并且开始自己的创作。此时，父母不要强迫孩子画什么，也不要教孩子应该怎样画，要保护孩子用笔的积极性，为孩子后期学习写字打下基础。

为了提高孩子动手的兴趣，教会孩子使用更多的工具，父母还可以与孩子一起进行一些手工制作。比如可以买一些富有特色的建筑物模型和孩子一起来完成，这不仅可以锻炼孩子的动手能力，还可以增进亲子间的感情。另外，也有很多传统的东西可以利用，比如爸爸妈妈小时候常做的用饮料瓶子或者易拉罐制成的装饰品，现在同样可以拿来和孩子一起游戏。其实生活中有很多东西都可以“变废为宝”，爸爸妈妈不妨开动脑筋，让这些没用的东西变成孩子成长过程中的“大功臣”。

爱游戏的孩子更灵活

孩子学会用手之后，大多数会爱扔东西。合格的父母能够了解这是孩子敏感期的特殊行为，他们会试着包容孩子的行为，为孩子捡东西。而优秀的父母则会让孩子的这个游戏变得更加有意义。

一位父亲是这样做的：

我的儿子最近爱上了扔东西，我想这不仅可以让孩子练习用手，还可以锻炼他肢体的协调性。有一天吃过晚饭，孩子又开始了扔东西的行为。我把他最喜欢的皮球放到他手里，他很开心地拿着皮球笑了笑，然后就用尽全力扔了出去。我乐呵呵地跑过去把球捡回来交给儿子，儿子看了看我，又把球扔了出去，我又去捡回来交给儿子……这样重复了十几次之后，我装作很累的样子对孩子说："宝宝，爸爸好累啊！现在咱们换个玩法，我来扔，你去捡，好吗？"儿子正玩得开心，就毫不犹豫地答应了。我把球扔出去之后，看着孩子慢悠悠地走向那个皮球，然后费劲地抱起来还给我的样子，真是有趣极了！这样不仅锻炼了孩子手的灵活性，还提高了身体各个部位的协调能力。

这位爸爸的做法是很科学的，父母都可以试试与孩子玩这样的游戏。这样，孩子不仅在游戏中获得了快乐，还在不知不觉中练习了动作，提高了身体的灵活性。

当孩子开始尝试自己行走的时候，他就到了动作的敏感期。这时候他们喜欢走路，喜欢爬坡。父母这时可以发明一些小游戏让孩子练习手脚的协调性。

星星的妈妈最喜欢与孩子做的游戏就是“模仿小动物”了。她经常会选择一个温暖的周末带着孩子到动物园去观察各种小动物，回家之后她就会对孩子说：“我们来做个游戏吧，让爸爸来说一种动物的名字，咱们一起学，看谁学得像，好不好?”于是，孩子就在妈妈的带领下学兔子跳，学大猩猩行走。星星最擅长的就是学长颈鹿了，听到学长颈鹿的口令，她马上就会兴奋地趴在地上，然后四肢着地，把脖子伸得很长，爸爸妈妈每次都会被星星这个动作逗得大笑。

学习小动物的游戏很受孩子们的喜欢。在模仿小动物的过程中，父母可以根据不同的目的说出不同的动物。如想要锻炼孩子双脚跳的协调能力，那就可以多说一些蹦跳的小动物，如“兔子”或者“袋鼠”等；如果想要锻炼孩子四肢的协调能力，可以让孩子模仿一些四肢着地的动物。

其实游戏不仅可以给孩子的生活带来缤纷的色彩，对孩子的健康成长也至关重要。游戏可以让孩子在快乐中提高反应能力和肢体的灵活性，所以在孩子的成长中，父母一定要善于利用“游戏”这个工具。

不过要注意的是，我们这里所说的“游戏”，是那种孩子在生活中或者户外可以全身心参与其中的游戏，而不是电脑游戏。虽说电脑游戏也可以提高孩子的反应能力，但是并不能提高孩子肢体的协调性，不利于孩子的全面发展。

孩子在游戏的时候，父母要尽量鼓励孩子，这样才会给孩子动力。千万不要看到孩子笨手笨脚就讽刺或者跟其他的孩子做比较。游戏的目的首先是给孩子带来快乐，父母千万不要本末倒置，把游戏看成是训练孩子的手段。只要孩子在游戏中玩得高兴，那就达到目的了。至于提高孩子的协调能力，需要时间慢慢来，孩子不可能通过一个游戏就变成身体灵活的运动员。

孩子为什么行动迟缓

一到冬天，儿科总是会有很多家长带着孩子来看病。 这些家长觉得自己的孩子行动非常缓慢，怀疑孩子大脑发育有问题，所以带着孩子来做检查。

为什么一到冬天行动迟缓的孩子就多了起来呢？ 其实答案很简单，那就是家长给孩子穿得太多了。 穿得过多，不仅会让孩子动作迟缓，而且还会影响孩子的大脑发育。 初生的婴儿，尤其是出生在秋、冬两季的婴儿，冬天正是他们动作发展的关键时期，而这个时候孩子却常常被家长层层紧裹，动弹不得，所以孩子的运动能力会受到很大限制，最终会让孩子运动迟缓。 孩子的运动能力和大脑的发育息息相关，所以穿得太多不仅会影响孩子的运动能力，也会影响孩子的智力发育。

那么，孩子没有按照正常的发育阶段完成动作的学习是不是以后就会永远比同龄的孩子差一截呢？ 其实只要父母能够及时发现并帮助孩子进行锻炼，这种情况很快就可以得到改善。 不过育儿专家仍然建议冬天的时候只要保证孩子的体温就可以了，没有必要把孩子包得像粽子一样，要保证孩子能够自由活动，并且帮助孩子做一些身体上的训练。

不过很多孩子行动迟缓是由别的原因造成的，下面列举了几个可能导致孩子行动迟缓的原因。

1. 孩子情绪不良导致行动缓慢

研究表明，运动发育和情绪发育相辅相成，某一方面能力发展不足，往往会影响到另一个方面的发育。

有不安和畏难情绪的孩子，即使他们的身体发育良好，而且也具备正常的运动能力，但是他们因为胆小，不敢去尝试走路。对这样的孩子来说，他们的精细运动能力发展也会比较缓慢。所以孩子运动迟缓，应该先了解是不是存在让孩子不安的因素。如果是情绪的原因造成行动缓慢，那么只要消除这些因素，提高孩子的自信心就可以解决问题。

到了孩子要走路的时候，有些家长会拉着孩子的手强迫他们学习走路，这会让孩子产生抵触情绪。为了反抗父母，他们可能会消极对抗父母的要求，故意行动迟缓。

2. 视力发育不良引起行动缓慢

现在很多孩子喜欢长时间看电视、电脑，这会造成孩子视力下降。孩子视力下降不仅会影响视觉，同时也会对孩子其他方面的能力产生影响。由于视力的退步，孩子观察世界以及目测距离等能力都会下降，可能会出现经常摔跤的情况，这样一来孩子就会失去参与户外活动的兴趣，久而久之，孩子的行动就会越来越缓慢。

3. 先天的气质引起的行动迟缓

有些孩子天生就是慢性子，做起事来比较精细，这样他们的运动发育也会相对慢一些。但是父母要知道，行动迟缓并不意味着智力水平低或者不能成就大事业。一般来说，行动迟缓的孩子具有顽强的意志力并且做事很踏实，这些优点也很可能引导他们走向成功。

4. 强迫症引起的行动迟缓

行动迟缓是儿童强迫症的一种表现。例如，当孩子出去玩的时候，他所有的注意力只能放在一个东西上，比如不断地确认大楼有几层，这样孩子对其他事物的反应自然就会变慢，行动也会显得迟缓。所以，如果儿童行为表现异常或者孩子经常没有理由地行动迟缓，家长就应该带着孩子去心理医生那里进行检查。

教孩子用语言代替哭泣

3岁的洋洋正坐在客厅里专心致志地玩着一个小汽车，妈妈在厨房做饭。过了一会儿，洋洋忽然大哭起来。妈妈听见了，赶忙丢下手里的东西冲出去。她发现洋洋正在电视柜附近坐着，小手指着柜子下面，眼睛里噙满泪水。妈妈一看就明白了，是小汽车滑到了柜子下面，洋洋拿不出来了。她对洋洋说：“洋洋告诉妈妈想要什么，说完妈妈给你拿!”“汽车!”洋洋带着哭腔回答。“宝宝乖，你对妈妈说：‘妈妈，我想要小汽车。’妈妈马上就拿给你。”“妈妈，我想要小汽车。”洋洋听话地重复道。然后，妈妈帮洋洋拿到了小汽车。

后来有一次，爸爸在书房看书，妈妈在卧室织毛衣，洋洋自己在客厅玩，忽然停电了，可是洋洋没有哭，只是一直喊：“妈妈，快来！我怕……”

其实，洋洋面对黑暗的屋子，能够做到不哭，而是用语言表达，这跟妈妈的引导有很大关系。因为在平时的生活中，孩子已经养成了这样的思维方式，遇到事情先用语言表达自己的感受，或者用语言向父母求助。

在孩子进入语言敏感期的初期，他们还习惯用哭泣来表达自己心中的委屈、恐惧或者某种需求。这时候父母应该读懂孩子的表达方式，并且试着让孩子用语言代替哭泣来表达自己的想法。

父母在孩子的语言敏感期要多多鼓励孩子用语言表达，而不是用哭泣来引起别人注意。其实在语言敏感期，孩子不仅需要学习语言，还需要养成良好的思维方式，当然这需要父母在日常生活中注意对孩子加强引导。

在生活中，我们常常见到这样的场景：

孩子吃饭的时候不小心被烫着了，妈妈会这样安慰孩子："这饭真不好，把宝宝烫着了。宝宝不哭，我们把它倒掉！"

孩子走路不小心被石子绊了个跟头，结果孩子还没

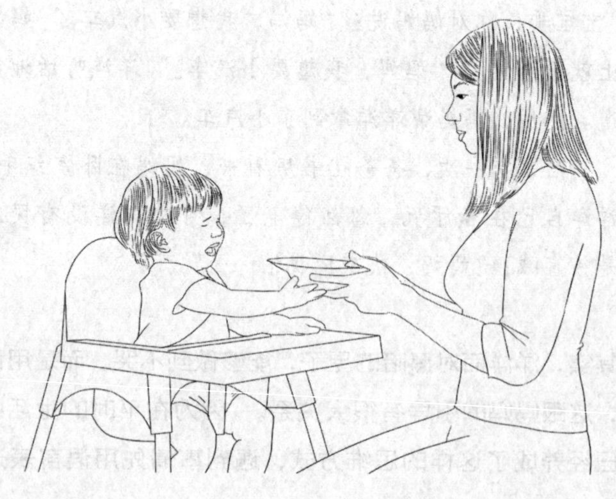

哭，妈妈就跑上前去：“宝宝不疼，都怪小石子，咱们把它踢开！”

以上的两种场景可能会出现同样的结果，那就是孩子放声大哭。但更坏的可能是，误导了孩子的思维方式。因为，在孩子学习语言的敏感期，他们不仅要学习一些具体的名称，更重要的是要学习一些简单的逻辑思维方式。在上面的两个例子中，父母就向孩子传达了错误的因果关系。孩子被烫或者摔倒，与饭或石子是没有关系的，这本是孩子自己不小心造成的，而且孩子也并没有把原因归结到其他事物上面，但是父母却自以为是地帮助孩子开脱，说了那么多“道理”，这就让孩子顿时感觉很委屈，于是就用“哭泣”来表达内心的“委屈”。

父母一定要牢记，当孩子因为某些意外觉得自己受了委屈并用哭泣来表达的时候，父母一定要理智，千万不要把责任推给无辜的人或物，而是要用语言告诉孩子真正的原因，让孩子形成正确的思维模式。当孩子学会正确的思考问题时，他就不会动不动就大哭，而是会理智地用语言告诉父母自己面临着什么样的问题，需要父母帮忙做些什么。

让"口吃"的孩子变成"辩论家"

李浩是一个聪明可爱的小男孩，但他有个小毛病——说话结巴。其实，李浩开口说话挺早的，也很流利。可是到了3岁的时候，突然变得结巴了。从那时候开始，李浩就接受了妈妈自创的言语矫正训练：播放教学录音让李浩模仿，但没有成效。时间长了，李浩觉得妈妈是在折磨自己，而妈妈却认为李浩"我……我……我……"地说话是故意的，于是批评、苛责，一招接一招，结果妈妈越着急，李浩就越害怕，越害怕就越结巴。后来，妈妈看到一篇相关的文章，上面说2～7岁的孩子结巴是正常的，于是就不再苛求他。果然，没有了妈妈的强制要求，李浩的结巴慢慢地变好了。在他6岁的时候，再也没有人能听出来他曾经是个"小结巴"了。

口吃不仅影响孩子语言的发育，还会损害孩子的心理健康，使他们产生心理压力，没有自信，形成孤僻、羞怯、自卑的性格。口吃的孩子情绪往往很不稳定，容易激动。他们害怕在大庭广众下讲话，害怕上课时回答老师的问题，也不愿意主动与同学交往。

口吃的症状有轻有重，这主要取决于讲话者本人。有不少口吃的人与自己的亲人讲话时不结巴；有些人在独自一人朗读时不会口吃；有的人在与人开玩笑时口吃比较轻，在开口向别人求助时口吃严重；大多数口吃患者在唱歌、自言自语、参加集体朗诵、合唱时，几乎没有口吃现象的发生。

虽然口吃是一种语言障碍，但是几乎每个孩子都经历过口吃的阶段，最后这个孩子到底会不会成为一个口吃的人，其实很大程度上与家庭教育有关。这是怎么回事呢？

其实说话不流畅是2～7岁儿童比较常见的生理现象。此时的孩子思维迅速发展，想用语言表达一种思想，但是往往找不到合适的词汇，于是在大脑中搜索合适词语来表达自己想法的过程中就会出现口吃。通俗点来说，就是脑子快，但是嘴跟不上。这种口吃一般只是阶段性的。在这个年龄阶段，有很多孩子开始学数数、念儿歌，但是说的技能赶不上思维的速度，以语言为基础的思维跑到语言功能的前面，所以口吃就会更加明显了。但是随着孩子语言能力的逐渐完善，这种阶段性的口吃会慢慢减少直至消失。

那么为什么有的孩子没能顺利地度过这一阶段，反而变成了真正的口吃患者呢？研究表明这与家长教育不当有直接的关系。一些父母见到孩子出现口吃现象，就会时常提醒孩子注意，最后失去耐心，演变成严厉的责备。而孩子在这个过程中可能会因此对说话产生不安、恐惧的心理，口吃现象就会变得更加严重。而这些又会换来父母更严厉的批评。最后孩子和父母都陷入了恶性循环中，孩子也就成了真正的口吃患者。

所以，当发现孩子出现口吃的毛病时，父母应该做到以下几点：

1. 耐心倾听，不要指责

家长要了解这是孩子成长过程中的正常现象，所以应该对此保持平静，采取无所谓的态度，一定不要严厉地责备孩子，没有必要也不必提醒“你又口吃了，要注意”，因为这些都会增加孩子的紧张情绪，使他们更加结巴。

2. 慢慢跟孩子说话

如果孩子的口吃比较轻，则不必采取任何措施，时间长了，口吃自然就会消失。如果孩子口吃现象严重，家长在同孩子讲话时，就应该降低语调，用缓和、拖长音的语气说话，这样孩子就会不自觉地去模仿这种说话方式，口吃也会得到缓解。

其实，在孩子正常的发育阶段发现孩子口吃的时候，父母完全没有必要过度紧张。当孩子的词汇量增加，思维和语言能力取得协调的时候，口吃的现象自然就会好转，反倒是那种过于紧张的父母更容易把孩子变成真正的口吃患者。

◇ 关注孩子的发展 ◇

宝宝乖，你对妈妈说：“妈妈，我想要小汽车。”妈妈马上就拿给你。

妈妈，我想要小汽车。

父母在孩子的语言敏感期要多多鼓励孩子用语言表达，而不是用哭泣来引起别人注意。其实在语言敏感期，孩子不仅需要学习语言，还需要养成良好的思维方式，当然这需要父母在日常生活中加强对孩子的引导。

高情商家教思维

1. 怎样抓住幼儿发展的敏感期来促进儿童的健康成长？

2. 大部分孩子幼年时都会自然地爱上剪、贴、涂的活动，你是如何对待的？

3. 你认为游戏（非电脑游戏）能带给孩子什么好处？

4. 造成孩子行动迟缓都有哪些原因？

5. 生活中，当孩子不小心被热饭烫着或者不小心被石头绊倒，父母如何理智地告诉孩子因果关系？

第五章

教育孩子要懂的儿童社会心理学

外表也会影响孩子个性吗

因为父母搬家，锐锐换到了一家新的幼儿园上学。第一天去的时候，妈妈特意为他换上新衣服，还给他拿了几块很好吃的巧克力。锐锐高高兴兴地来到了新幼儿园上学。但是妈妈下午来接锐锐回家的时候，却惊讶地发现锐锐的新衣服竟然已经被撕破，脸上还有一块淤青。锐锐一见到妈妈就“哇”地哭出来声来：“妈妈，他们笑话我，说我瘦，说我矮，我不喜欢他们，我讨厌上幼儿园!”

妈妈望着弱小的锐锐，想不出合适的话来安慰。是啊，锐锐在班里一直是最瘦最矮的孩子，妈妈经常要去幼儿园，拜托老师多多关注一下锐锐，但是锐锐现在已经5岁了，不能总是受到特殊的保护，是该好好想个办法了。

于是妈妈先带锐锐去医院检查了身体，医生说锐锐的身体没有什么问题，还建议锐锐多进行运动，这样才能强壮起来。

听了医生的话，妈妈给锐锐制订了详细的运动计划。

半年后，锐锐比以前强壮了许多，也很精神。运动不仅改变了锐锐瘦弱的外形，也改变了他的个性。锐锐以前很内向，缺乏自信，很少主动参加班上的活动，现在他经常主动参加一些活动，而且也比以前自信多了。现在锐锐总是很自豪地跟妈妈说："我是班上最有劲的男孩子，现在谁也不敢欺负我了，我还能保护其他的小朋友呢！"

体貌、体格指的是一个人的面部特征、身高、体重以及身体的比例。体貌与体格是影响个性的间接因素，因为体貌和体格会影响个体对自己的评价和他人对自己的反应。

我们在生活中经常可以看到，有些长相俊俏的人为自己的容貌出众而得意扬扬，同时也比较自信；而那些长得丑陋的人，或者是身体有缺陷的人，往往会为外貌苦恼、愁闷，容易滋长否定、消极的情绪。

但是，这并不是说外貌特征可以决定一个人的个性。外貌在每个人的个性发展中究竟占有什么样的地位，是产生积极的影响还是消极的影响，完全取决于儿童所处环境中的其他人，尤其是在儿童心目中的“权威人士”对自己外貌的看法，以及儿童本人其他的一些个性特征，特别是一个人的能力和理想。一个外貌出众的孩子可能会由于家庭不和谐、父母教育不当、学习成绩不佳以及不能正确认识自己等原因，变为一个缺乏自信、依赖性极强的人；而一个相貌不佳或者身体有缺陷的儿童，如果在家庭和集体得到足够的温暖与帮助，自己的能力出众，对人生有正确的看法，而且愿意为自己的梦想努力，最后极有可能在事业上取得非凡的成就，赢得人们的尊敬。

相关研究表明，正常儿童的身体体格与个性特征存在着一定的相关性。那些个子矮小、协调性差而且体质相对比较羸弱的儿童倾向于表现出害臊、胆怯、消极、忧愁的个性特点。对比之下，那些同年龄中长得高的、强壮的、精力充沛的、协调性好的儿童往往具有幽默、乐观、喜欢自我表现、健谈、有创造性的性格。

事实上，虽然体格对个性会产生影响，但是社会因素才是对个性的发展起决定性作用的因素。所以父母除了应该尽量让孩子拥有健康的体格之外，更重要的是关注孩子的内心，同时注意让孩子不要养成以貌取人的坏习惯。

孩子为什么爱告状

午饭时，孩子们都吃得津津有味，教室里只有吃饭的声音。这时贝贝指着阳阳对老师说："老师，阳阳把青菜扔了一桌子！"这时候所有小朋友的目光都集中在阳阳身上。"是呀，阳阳把青菜都扔了！""老师说过要珍惜粮食的。"小朋友们你一言我一语都显得很激动。老师看到阳阳面前的青菜和一群叽叽喳喳的孩子，温和地说道："好了，阳阳以后不要再扔青菜了。小朋友也不要再说话了，快吃饭吧。"孩子们这才把目光从阳阳身上移开，不再说话。

涛涛从家里带来了一个玩具手枪，男孩子个个都爱不释手。小伟一早来到幼儿园后就玩个不停，小宇也很想玩，就一直在旁边等着，还不时说上一句："让我玩一会儿吧！"可是小伟总是说："不行，我还没玩好呢！"小宇听了马上跑到老师跟前告状："老师，他都玩了那么长时间了，还不让我玩！"老师摸摸小宇的头说："你再跟小伟商量一下，要不你就先选一样别的玩具吧！"

孩子们正拿着自己的小杯子排队接水喝。航航忽然伸手推了推前面的小仪，想抢到前面去。小仪扭头瞪了他一眼以示抗议，但航航还是伸手推她。“老师，他推我！”小仪委屈地说。老师正在教喝完水的小朋友摆放杯子，听到小仪的话，她转过身轻声安慰了小仪，然后瞪了航航一眼，航航马上排好了队。

在幼儿园里，几乎每时每刻都会有孩子告状。爱告状是幼儿日常活动中最常见的行为之一。其实，孩子爱告状是由于年龄的关系，因为他们的道德认识还处在一个幼稚的阶段，道德概念和道德知识也比较贫乏。特别是幼儿园的孩子，对于是非、好坏、善恶的理解带有明显的直观、具体和肤浅的特点：好就是和他们一块儿玩，坏就是把玩具借给别人而没有借给他们……孩子就是这样根据直接的利害来看待好坏、判断是非的，他们不可能像大人那样从本质上去理解道德的含义。

不同年龄的孩子，对道德感的体验是不同的，所以父母应该根据孩子的年龄采取不同的方式以培养他的道德感。

3～4 岁的孩子道德感体验不深，他们的道德判断容易受到成人的暗示，只要大人说是好的，或他自己觉得有兴趣的，就认为是好的。反之，就是坏的。同时，他们判断某件事情，只关注结果，而不注意行为的动机。比如妈妈告诉一个 3 岁的孩子“要和小朋友友好相处”时，他会点点头，但当他和小朋友抢玩具时，他不会意识到这有什么不对。如果 4 岁的孩子看到有小朋友帮班里修玩具，却把玩具修坏了，他也会认为这个小朋友不好。这时候，父母要做的是用自己良好的行为规范为孩子树立榜样，培养孩子遵守良好的道德规范。

4~5 岁的孩子已经掌握了生活中的一些道德标准，并且开始注意别人对自己行为的关注，同时，他也开始关心其他人的行为是否符合道德标准。比如一个 5 岁的孩子想玩小伙伴的玩具，他会友好地和小伙伴商量，如果此时父母表扬他懂礼貌，他就会非常高兴。以后，他也会用这种商量的方式来处理类似的事情。如果遇上别的孩子抢玩具，他还会出于“正义感”而向家长或老师“告状”。

5~6 岁的孩子道德感的发展已经开始趋向复杂和稳定，对好、坏、对、错，他们已经有了比较稳定的认识。同时，他们会开始关注某个行为的动机，而不是单单从结果来进行判断。例如，同样是看到小朋友帮着班里修玩具，把玩具修坏了，一个 6 岁的孩子会知道小朋友修玩具是出于好心，会认为这个小朋友并没有错，这个小朋友和弄坏玩具的小朋友是不一样的。这个年龄段孩子的道德标准基本上开始稳定，如果他对某些事物有不同的看法，父母最好用讲道理的方法来说服他。

你的孩子能管住自己吗

东东是一个很聪明的孩子，但就是没定性，上课不专心。晚上回家，妈妈给他辅导功课的时候，不是要吃东西就是要喝水，刚坐下没两分钟又吵着要上厕所，来来回回地折腾，本来半个小时就能做完的作业，非得花上两个钟头。东东的妈妈为此头疼不已，她实在不明白为什么东东就不能集中精力专心学习。

东东的例子比较典型。在小学低年级的儿童身上经常看到好动、可控性差的特点，这是儿童缺乏自我控制的体现。

自我控制是指个体在无人监督的情况下，从事指向目标的单独活动或集体活动。宝宝自控能力差表现多样，包括做事缺乏坚持性、随便乱发脾气、无故招惹别人等。

自我控制既是个体社会化的重要内容，又是实现社会化的重要工具。自我控制能力差会影响儿童的身心健康、同伴关系、社会适应能力等。宝宝要建立符合社会道德的行为模式必须学会自我控制。

自我控制能力并非与生俱来的，宝宝在后天的环境中，随着生活范围的扩大、生活经验的丰富、认知的发展和教育的影响，他开始逐步学习并掌握一定的策略来控制自己的活动和情绪。宝宝自我控制能力的发展主要体现在以下几个方面：

初步移情阶段：宝宝由于年龄小，心理认知还没有完全发展等原因，决定了他以自我为中心的心理特点，考虑事情多是站在自己的角度，很少考虑他人。但是这个阶段的宝宝已经具有了初步的移情能力，对别人的体会和感受具有了一定的理解能力。

延迟满足阶段：宝宝的自我控制能力在这个阶段的一个重要表现就是延迟满足。宝宝在遇到有喜欢吃的食物又不能马上吃的情况的时候，会控制自己的行为，忍一会儿，直到可以吃的时候再行动。

有效掌握阶段：这个阶段的宝宝已经掌握了一些有效的自我控制方法，可以对自己的行为和情绪进行调节，比如采取转移注意力、同其他人进行协商等方法。

善于自我控制的儿童又可以称为“弹性儿童”。他们有很强的灵活性，对自己的控制程度随环境变化而改变，在需要控制的时候能很好地管住自己，在不需要控制时也能完全放松自己，如同弹簧一样，既能紧，也能松。这样的儿童在学习的时候能够专心学习，在玩的时候也能尽兴地玩耍。

那么，是不是自我控制能力越强越好呢？其实并不是，自我控制有一个适宜的度。

自我控制过度的儿童很少表达情绪，不会直接表达应该表达的需要，行为刻板，有很强的抑制性，做事情不分心，没有主见。他们平时很少惹麻烦，很容易被老师和父母忽视，容易焦虑、抑郁、不合群。

然而，很多妈妈烦恼的是自己的宝宝学习时太容易分心，一旦想要什么吃的玩的也要马上得到，这是儿童自我控制过低的表现。这样的儿童无法延缓满足，易冲动，情绪多变，在人际交往中带有一定的攻击性。

如何才能提高宝宝的自我控制能力呢？比较常见的做法有：

1. 正确评价宝宝的行为

父母要及时对宝宝的行为做出反馈，宝宝做得对的要积极表扬，做得不对的要进行批评，帮助宝宝建立正确的自我评价体系。如：欺负别的小朋友是不对的，主动帮助别人是高尚的行为等。需要注意的是，批评的方法要斟酌，让宝宝抱有希望。只有正确认识和评价自己，宝宝才能提高自我控制的动机水平。

2. 在日常生活中树立规则概念

父母可以让宝宝在实际生活中去体验一些常见的规则和要求，如红灯停绿灯行等，让宝宝真正理解和掌握这些规则要求，从而逐渐养成遵守一定规则的行为习惯，逐步提高自我控制能力。

3. 培养宝宝的坚持性

培养宝宝的时间观念，有意识地延迟满足，让宝宝学会等待，在平时要求宝宝坚持做完一件事情后再去做另一件事，帮助宝宝提高自我控制水平。

宝宝的自我控制能力的发展是一个渐进的过程，家长们要从宝宝还小的时候做起，针对宝宝的特点，采取有效措施，促进宝宝自我控制各方面的平衡发展。

不要擅自剥夺孩子应得的母爱

一对夫妻在事业上非常有成就，结婚生子后，两个人一起到国外去攻读博士学位，临行前他们将孩子托付给爷爷奶奶照顾。三年之后，他们学成归来，把孩子接回了自己家。孩子刚接回来的时候还挺乖的，可没过多长时间就开始跟爸爸妈妈较劲，不服管教。爸爸妈妈也发现孩子身上有许多爷爷奶奶惯出来的坏毛病，于是千方百计想把孩子的这些坏毛病纠正过来。结果，父母和孩子之间的战争不断，大人烦恼、孩子生气，一家人整天都处在不愉快的氛围中。

这个家庭之所以会出现这样的问题，根本原因是孩子没有在父母的身边长大。孩子刚接回来时乖巧懂事，是因为他跟父母还不熟悉，之后开始跟父母“叫板”，并提出很多无理要求，这是孩子开始在心理上依恋父母的表现。孩子从小远离父母，没有体会过和妈妈的绝对依赖关系以及在妈妈怀里的安全感，所以孩子需要补偿。

这个补偿的过程同时也是孩子退化的过程，他会突然变得不如从前，甚至越来越爱犯错误。其实，他只是在试探妈妈是不是真的爱他，是不是会无条件地接受他。经过顶撞和冲突，亲子关系大多会变得更加亲密。如果孩子接回来之后一直都很乖巧，从来不知反抗或顶撞，这才是最可怕的现象。因为这样的孩子很难对父母敞开心扉，他对待父母可能会一直客客气气的，就像对待陌生人一样，那时候父母要想介入孩子的世界，就更加困难了。

在儿童成长发育的关键时刻，他会和日夜照料他的妈妈建立起强烈的母子感情，这种强烈的情感是维系母子亲情的纽带。而早年没有得到妈妈照顾的孩子并没有建立起这种感情纽带，和妈妈的心理距离很远，再加上生活习惯有差别，母子之间极有可能互相看不习惯。由于没有感情，妈妈教育孩子的时候通常也不会手下留情，孩子对妈妈的教育也不情愿接受。时间长了，母子之间没有形成感情依恋，反而形成了强烈的心理对抗，冷漠的种子也就埋下了。

与父母长期分离对孩子的成长十分不利，严重者会导致儿童性格上的缺陷。因此，父母要尽量在孩子身边，使他能够健康快乐地成长。

有一对夫妇离婚，5 岁的儿子由父亲抚养。一段时间之后，孩子开始不吃东西，也不说话，经常哭闹，后来到医院经过精神科医生的诊断后发现孩子患上了儿童抑郁症。在医生的建议下，孩子的妈妈把孩子接到身边，经过妈妈精心的照顾，尤其是感情上的抚慰和交流，孩子终于又开口说话了，也恢复了儿童应有的天真烂漫。

这是一个典型的由于母爱被剥夺而罹患儿童抑郁症的病例。因为孩子被强制剥夺了得到妈妈关爱和呵护的权利，所以孩子在心理上产生了强烈的不安全感。母爱被剥夺除了可能引发儿童抑郁症之外，长大成人之后也很容易受到刺激罹患各种心理疾病，或者形成过于内向、胆小的个性特征。

因此，父母一定要多与孩子在一起，与孩子进行感情的交流，培养孩子与父母的感情。有些父母因为工作的关系，一旦孩子不吃奶了，就送到外地交由他人抚养，等到上学时再把孩子接回来。其实，这种做法对孩子的伤害是很大的，因为一旦错过了与孩子发展亲密关系的“关键期”，父母与孩子就很难再建立亲密的关系了。感情的疏离，会给孩子的心理带来无可挽回的伤害。

孩子在出生的头几个月和他的母亲发生了广泛而持久的联系，这相当于经历了一个敏感的社会化阶段。这种联系的作用不完全是从母亲那里获得物质报偿，更重要的是形成一种稳定的依恋关系。只有早期建立了这种牢固的依恋，成年后他们才有和其他人建立良好人际关系的可能。

孩子有了被爱的经历，他长大后才会爱别人，爱社会，才能友好地与他人相处。所以为了孩子的未来，妈妈要尽量做到以下几点：

（1）提高做母亲的敏感性，及时地应答孩子的需求。

（2）多和孩子做亲密的身体接触，婴儿抚触操就是一种很好的方法。

（3）按照孩子的需求调整自己的行为，不要把自己的意识强加给孩子，不能心情好时就和孩子玩，心情不好时就拿孩子出气。

同龄人才是孩子最好的朋友

齐齐刚上幼儿园，是个活泼调皮的孩子，可是这天妈妈发现，齐齐从幼儿园回来后一声不响的，问他也不说话，妈妈还以为齐齐生病了。好说歹说哄了半天，齐齐红着眼睛说小朋友不喜欢他。妈妈还没问明白怎么回事呢，幼儿园老师的电话就打来了。老师说，今天给班上的小朋友们做了一个小测试，请每一位小朋友挑选出最喜欢一起玩和最不喜欢一起玩的三个小朋友。根据记录，齐齐有三次是被拒绝的，这说明齐齐的同伴交往能力还需要培养，请家长到幼儿园具体商量一下。齐齐的妈妈有点纳闷，孩子也需要培养交往能力吗？

婴幼儿间的同伴交往是指在各种因素的作用下，婴幼儿在集体中所形成的一种独立、平等、自愿、互助的友好关系。同伴交往所形成的同伴关系与同伴经验有利于婴幼儿身心健康发展，是婴幼儿社会性发展的一种需要，是幼儿社会化的重要途径。

研究发现，婴儿在半岁之前会互相接触、互相注视，一个婴儿哭，另一个婴儿以哭来回应等，这些都不是真正的社会反应，因为婴儿并不期待从另一个婴儿那里得到相应的反应。婴儿半岁后才开始出现真正意义上的同伴交往行为。

婴儿早期同伴交往可划分为三个阶段：首先是以客体为中心阶段，婴儿的交往更多地集中在东西或玩具上，而不是别的婴儿本身，大部分是单方面社交行为，一个婴儿的行为并不能引起另一个婴儿的反应；其次是简单交往阶段，婴儿之间有了直接的相互影响、接触，婴儿已能对同伴的行为作出反应，经常企图去控制另一个婴儿的行为；再次是互补性交往阶段，出现了更多更复杂的社交行为，婴儿彼此之间相互模仿已经较为普遍，婴儿同伴间的行为趋于互补，如你追我逃、共同进行一个游戏等，婴儿能积极地进行交往，还经常伴随有语言、情绪等反应。

影响同伴交往的因素主要有婴幼儿自身因素和环境因素两个方面。

婴幼儿自身因素指宝宝的认知能力、性格特征、兴趣取向等，如愿意分享、友好、外向的宝宝更受小伙伴的欢迎。由于自身因素影响，他们形成了不同类型的交往模式，大致分为以下四种：专一型、受欢迎型、攻击型、忽略型。专一型婴幼儿倾向于和固定的小伙伴玩；受欢迎型婴幼儿多半性格外向，常常乐于接受同伴的请求或共同游戏的邀请；攻击型婴幼儿性格暴躁，常见表现为喜欢骂人、打人，对别人的行为活动进行破坏；忽略型婴幼儿胆小、怯懦，不愿参加小伙伴的游戏或活动。攻击型和忽略型的孩子就是不善于和别人交往或交往手段不恰当的孩子。

环境因素指成人的指导和玩具游戏等，如成人为孩子准备适合一起玩的玩具或游戏，将有助于孩子同伴交往能力的发展。

家长可以从以下几方面入手，帮助孩子培养交往能力，促进其社会性的发展。

提供良好的家庭环境。家长应该创造宽松、和谐、亲密的家庭关系，让孩子充分体验到爱和被爱的感觉，以积极的培养环境造就孩子健康积极的身心，这是迈向成功交往的第一步。

以身作则，给孩子学习的榜样。家长待人接物的方式是孩子学习初步的人际交往最直接的对象，积极的交往态度必定会对幼儿产生积极的影响，因此，家长在与邻居、亲友、同事相处中要相互尊重，相互帮助，相互宽容，让孩子在潜移默化中学会交往。

创造更多的交往机会。家长可以经常让孩子把小伙伴邀请到自己家里来玩，或去别的小朋友家里做客，给孩子创造与同龄伙伴交往的机会，指导孩子进行共同游戏，或与孩子一起游戏，如老鹰抓小鸡等，在游戏中培养孩子的同伴交往能力。

生活就是游戏，让孩子在游戏中感受社会

孩子的游戏内容通常来自周围的现实生活，例如“过家家”“开汽车”等，都是现实生活的反映，都是以孩子在社会中经历过的事物为素材的。同时，孩子的游戏不是原原本本地照搬生活，而是孩子根据自己对生活的理解，并且加入了自己对生活的愿望，将内容进行重新组合后的创造性活动。

游戏在孩子社会能力的发展中起着十分重要的作用，孩子可以在游戏中按照自己的意愿去扮演任何角色，并从中体会到各种思想和情感。孩子还可以通过游戏学会如何在集体里发挥自己的作用，如何与别的孩子合作得更好。另外，游戏在发展孩子的自我控制、活动方式以及改造孩子的问题行为方面也起着重要作用。

如果想让孩子有更多的情感体验，妈妈应该抽出更多的时间来陪孩子一起玩游戏。妈妈可以在家中设置一个特殊的“游戏角落”。孩子玩具不需要多么精巧多么高科技，家里的很多东西都可以“变废为宝”，大纸箱、旧布、坏掉的门把手等都可以变成孩子的宝贝。纸箱可以变成郊外的小房子；旧布变成云彩或者巫婆的斗篷；门把手可以变喇叭、做假鼻

子……在玩的过程中，不但可以使孩子的动手能力得到提高，而且他对感情的理解也会更加深刻丰富。

很多妈妈都知道游戏对孩子的好处，所以她们总是带着孩子到户外去与其他的小朋友一起玩耍。虽然户外活动对孩子来说是必不可少的，但是面对大自然的诱惑，很多孩子并不买账，这是怎么回事呢?

小波特别爱在家里玩玩具，因为玩得专心，有时连妈妈叫他都听不见。妈妈想让小波到外面和小朋友们一起玩。可是妈妈发现小波好像更迷恋玩具，每当让小波外出时，小波总是表现出有些不情愿。妈妈很不理解，小波这是怎么了?

其实，孩子的玩乐没有大人那么强的目的性，他们关注的只是玩的过程，能够体验快乐情绪对他们来说就已经足够了。玩具是孩子幻想中的玩伴，无生命的玩具在他们看来和真实的小朋友并没有区别。4~5岁左右，玩具依然是孩子无伙伴时的假想伙伴，过了特定的时间，他就会跨过以独自玩耍为主的阶段。

妈妈们经常可以看到孩子一边自言自语，一边摆放玩具，或者指挥打仗，或者和小动物对话。孩子这不是单纯地在玩，他是在“演练”将来如何与人交往。在家玩玩具和外出找小伙伴玩，这两者之间不是对立的关系，无论孩子选择哪种游戏方式，家长都应该支持，不要勉为其难。

◇ 培养孩子的道德规范 ◇

爱告状是幼儿日常活动中最常见的行为之一。因为他们的道德认识还处在一个幼稚的阶段，道德概念和道德知识也比较贫乏，所以父母应该根据孩子的年龄采取不同的方式以培养他的道德感。父母还要用自己良好的行为规范为孩子树立榜样，培养孩子遵守良好的道德规范。

高情商家教思维

1. 你认为孩子的外表会影响孩子的性格吗？

2. 你的孩子喜欢打小报告吗？

3. 如何提高宝宝的自我控制能力？ 常见的做法有哪些？ 你觉得有效的提升方法有哪些？

4. 如何建立孩子被爱与爱的能力？

5. 为什么说同龄人才是孩子最好的朋友？ 你的孩子有同龄的朋友吗？

第六章

教育孩子要懂的儿童情绪心理学

认识依恋，满足孩子爱的需求

前面我们已经提到过妈妈与孩子之间建立良好的依恋关系对于孩子的重要作用，那么妈妈要怎么做才能更好地满足孩子对爱的需求，与孩子建立起稳固的依恋关系呢?

1. 父母要保证孩子有比较固定的依恋对象

依恋关系的建立不是很快就能形成的，它需要经历一个过程，而一个或几个特定的成年人持续照顾孩子是孩子获得安全感的重要途径。 如果父母不能亲自带孩子，或者照顾孩子的人总是在变，那么孩子是很难建立起稳定和安全的依恋关系的。 如果孩子的主要照顾者突然离开，由陌生人接替，而这个人由于不了解孩子的气质与个性，就会使孩子安全感缺失。 这也是我们提倡自己的孩子自己带的原因。 如果妈妈真的工作很忙，不得不随时离开，那么家里最好至少有两个人能同时担当起妈妈的角色，这样在妈妈离开的时候，孩子不会产生过大的心理落差。

2. 提供充满爱心的照顾

并不是只要孩子与妈妈在一起就一定能建立起安全的依恋感。孩子先天的气质类型决定了他们有不同的需要，而他们对回应速度和回应方式的要求也是不一样的。这必然会给妈妈的养育带来很大的难度。所以，即使是妈妈，也要充分了解孩子身心发展的规律，与孩子充分的磨合后才能通过孩子的行为读懂孩子的想法，并且给予及时准确的回应。父母要善于识别婴儿发出的需求信号，拥抱、谈话、逗孩子笑，这样才能让孩子有真实的被爱的感受和愉快的生活经验。这种互动可以促进孩子与外界沟通互动，产生对父母的信任感，并且将这种信任感推及他人。其实，在孩子的婴儿时期，如果想让他们产生安全感，就要做到“一哭就抱”。因为，此时婴儿与父母唯一的交流手段就是哭。如果他哭时，父母置之不理，这其实是阻碍了亲子间的交流。而一哭就抱，则让孩子感到自己唯一拥有的交流工具非常有效，不知不觉中就会增加与父母的互动。而婴儿与外界互动越多，获得的回应越多，他的感情和智力也会成长得越快。父母从小鼓励孩子“发言”，他长大以后才能够更顺畅地与别人交流。

3. 对孩子的需求延迟满足

有的父母担心事事顺着宝宝，会养成他任性的坏习惯。其实这种担心不无道理。科学的做法是，要积极回应孩子的需求但是不要立即满足。这要怎么做呢？其实很简单，当孩子产生各种需求时，父母可以先用声音和肢体动作回应，让他知道父母听到了他的呼唤，让他学会在希望中忍耐几秒钟。这种几秒钟的忍耐和等待，不仅不会损害婴儿的健康，还会对他的心理健康、智力发育以及交往潜能产生积极的促进作用。

4. 陪伴孩子但不干预行动

孩子在 2 岁左右会进入一个“反抗期”，此时他们希望摆脱大人的控制，自己去探索世界。此时，父母要做的是为孩子提供安全感，但是不要过度保护。很多家长认为陪孩子游戏就是要为孩子做点什么，其实这是一个错误的认识。陪孩子游戏，重点在孩子。如果孩子需要你参加，你就要及时参与到孩子的游戏中；如果他不需要，你完全可以坐在一边做些自己的事情。其实孩子只要能够听到大人的声音或者知道大人在哪里，他们就会产生安全感，不会害怕。慢慢地，孩子的安全感得到发展和提高之后，他们就学会了独自玩耍。

总之，当孩子需要关爱时，如果父母能够及时给予，就好像在他的心里建起了一座安全的港湾，这会让他的心灵安定，让他健康成长。

让孩子在玩耍中度过敏感期

婴幼儿智力开发的最好时期是0～6岁，一旦错过这个时期，可能花费几倍的努力都无法获得同样的结果。而这一时期也是孩子的敏感期最集中的时候，所以家长应该充分利用婴幼儿智力开发的最佳时期，抓住敏感期，对孩子进行积极的教育。这对孩子的一生都将起到重要的作用。

现在很多家长都是有文化的人，对于孩子的到来不仅做好了物质上的准备，大多数也做好了教育上的准备，看了很多书来充电，希望能够帮助孩子“赢在起跑线上”。

提起早期教育，相信很多父母都能如数家珍般地列举很多条。但是实际上，很多父母所说的利用敏感期进行早期教育是存在着很大误区的。

很多家长都知道孩子在敏感期内大脑发育非常活跃，于是就开始了所谓的“早期教育”。这些教育无非给孩子灌输一些自然知识和科学文化。这些家长希望孩子能够早日掌握这些知识，这样就可以在小学、初中、高中一路领先于同龄人，直到进入一所名牌大学，成为一名优秀的大学生。

很多学者对家长的这种心态提出了反对意见。一位来自韩国的教授曾经说过：“把本来应该在上小学时教给孩子的知识，在他上幼儿园时就教给他了，这根本不能算是什么早期教育。”韩国著名的儿童心理学家申宜真也对这种“早期教育”深感忧虑，她说：“孩子1~3岁这个时期，他们的大脑的确在飞速地发展。但是如果因此就希望使用一些人为的手段对他们的大脑进行开发，那么这样的想法是非常危险的。”她在临床上的经验表明，在孩子还非常幼小的时候，就强迫他们学习，这很可能会增加他们的暴力倾向，同时也会对他们的大脑造成损伤。

那么孩子度过敏感期的最好方式是什么呢？家长又能做些什么呢？答案其实非常简单，那就是游戏。研究表明，在儿童时期，直观的体验性教育具有最好的效果，其中玩就是一种直接的体验，是一种非常有价值的学习形式。

在教育专家看来，玩耍和掌握知识一样重要。很多家长都认为，玩耍不过是孩子消磨时间的一种方式而已。但是事实上，玩耍具有非常重要的作用，它也是学习的一种方式。孩子在出生后不久就已经开始了这样的学习。孩子就是在玩耍中知道物体的重量，了解了什么是大什么是小，逐渐认识了周围的环境；同时玩耍也可以训练孩子动作的协调性；在了解物体属性的基础上，玩耍还对孩子的创造力、想象力以及解决问题能力的提高有着重要的作用。一个年幼的孩子玩耍的复杂程度通常会让人感到十分吃惊。你可以试着回忆一下孩子在玩过家家的时候所设计出的场景、台词、动作等，一个小小的游戏已经把孩子在社会中可能会遇到的问题提前展现在孩子面前，这样当孩子长大成人之后，就会更熟练地去解决自己遇到的问题。因此，玩耍对于大脑和身体的健康发育都是至关重要的，它能够帮助年幼的孩子逐渐理解外面的世界。

孩子迷茫，你知道吗

在孩子 6～12 岁的时候，会面对他们人生中的两件大事：一件是离开幼儿园，进入小学开始系统地学习文化知识；另一件就是小学升入初中，面临第一次比较大的同龄人之间的竞争。在这两个时期，孩子都是刚入学或者是即将进入一个新的学习阶段，压力会突然增加。而在压力增大的同时，心理也会出现变化，孩子对未来的生活充满了迷茫和恐惧，这种迷茫和恐惧往往会通过一些异常的行为表现出来，比如不想上学，沉迷网络等。

下面我们分别来看一下这两个阶段孩子的心理压力都来自哪些地方。

6 岁是孩子进入小学的年龄，孩子们将要开始面对一个全新的环境，他们不知道这个环境会给自己带来什么，而自己又能对这个环境产生什么样的影响，所以会产生害怕和迷茫的感觉。

从幼儿园踏进小学的校门，对孩子和家庭来说都是一件大事。很多家长会在孩子入学那一天准备一桌好吃的来庆祝孩子的成长。但是从孩子的角度来说，他们的生活发生

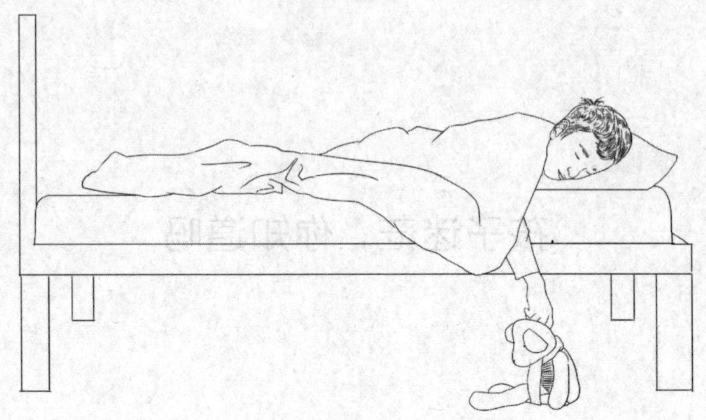

了翻天覆地的变化，每天除了有上学的兴奋，还会逐渐感受到学习和其他同学带来的压力，生活一下子变得紧张起来。如果你去问年幼的孩子上学有什么感受，他们的反应大多数是“累”。

如果上小学前孩子没有做好心理准备以及生活习惯上的准备，那么他们很难一下子爱上校园生活。对这个年龄的孩子来讲，他们表现自己压力的方式可能是“逃学”。他们上学之前会大声哭闹，不愿离开父母；或者是突然“生病”，很多家长可能会以为是孩子装病，但是除了装病之外，孩子的确可能会因为心理上的压力产生身体不适。所以父母发现孩子上学之后变得体弱多病或者情绪低落的话，要及时与孩子沟通，多谈谈学校中发生的事情，引导孩子把对学校的看法说出来，同时父母还要多多向孩子传递学校的正面信息，比如和蔼的老师、可爱的同学以及优美的校园环境等。

对于 12 岁的孩子来说，他们最大的压力来自“小升初”的考试，同时这时候的孩子大多已经进入青春期，心理压力和生理上的变化都会让他们感到困惑和忧虑，这时候的孩子所承受的压力更是显著。又因为此时孩子的行为能力和思维能力得到了进一步的提高，所以他们逐渐有了自己的思想，会产生一种想要脱离父母的心理状态；而对于父母来说，此时孩子能够自己照顾自己的生活，所以对孩子的关心程度很明显不如幼儿时期。这两方面原因叠加，最终造成的结果是亲子沟通的时间越来越少。甚至有时候孩子鼓足勇气向父母求助，却被父母批评为撒谎、懒惰、没有上进心，这就会使孩子更加迷茫，同时心里更觉得压抑。

现实中很多这个时期的孩子迷恋网吧、不喜欢回家，这种行为实际上是孩子牺牲了自己的成长来向父母抗议，同时也是一种很强烈的求救信号。不过当孩子使用这种信号来求救的时候，父母再开始重视孩子的心理，就有些晚了。

其实只要父母在平时多多关注孩子的行为，就很容易发现孩子的“求救信号”，然后要寻找合适的机会和孩子交流，对症下药，帮助孩子减压。另外家长还要委婉地为孩子指引今后要走的方向，不要总是指责或是训斥，而是要不断地鼓励孩子，支持孩子。

别在学习上给孩子施高压

在生活中，我们常常可以听到这样的事情：

“我们家孩子不知道怎么回事，平时的测验都发挥得很好，一到关键时刻就掉链子。碰上期中考试或者期末考试这样的‘大考’，就表现很差。真怀疑他平时是不是作弊。”

“我们同事的儿子参加中考晕倒在考场上了。听说是因为看到一道平时没见过的题，马上就呼吸急促，整个人都慌了。”

其实这种感觉我们都不陌生，就是越紧张事情越做不好，越发挥不出原有的水平。其实这可以用心理学上的“动机适度原理”来解释。在心理学上，“动机水平”是指一个人渴望完成一项任务的程度。心理学家通过研究发现，在一般情况下，动机水平越高，学习或者工作的效率就会增加。但是如果动机水平过高的话，学习和工作的效率反而会降低。美国心理学家耶克斯和多德森认为，中等程度的动机激起水平最有利于效果的提高。这就是“动机适度原理”。

望子成龙、望女成凤的心态可以理解，但是父母过度的期待只能给孩子带来负面的影响，取得适得其反的效果，既让孩子在考试和学习中表现失常，也剥夺了孩子应该有的快乐。

在竞争压力越来越大的今天，不需要家长教育，很多孩子已经感受到了很大的压力。在这种情况下，父母就更不能对孩子的学习施以高压，而是要保持平常心，而且当孩子拼命学习，给自己施加过高压力的时候，父母还要学会给孩子减压。

我们常常会听到孩子说："我要不惜一切代价保证考试成功！""如果我考试不好，很没面子，别人都看不起我！""如果考不好，我以后怎么办？"这些话虽然能表现出孩子的决心，但是也是心理压力过大的表现。这时候父母要帮助孩子减压："考不好也没有多大的关系，一次考试并不能决定什么，关键还是看个人的素质和能力。你只要尽最大努力去考就好，考不好爸爸妈妈也还是你的爸爸妈妈，天塌下来还有我们帮你顶着呢！把心态放轻松就好了！"总之，父母要做的就是让孩子在适度的压力下学习，让孩子的压力既不过高，也不过低。

此外父母也要真正改变自己的心态，不要把孩子的成绩看得过于重要。相对来说，发现孩子的优势和劣势才是父母最重要的任务。

奥托·瓦拉赫小时候，父母希望他走文学之路，结果老师写下了这样的评语："他很用功，但是过分拘泥，这样的人不可能在文学上有很高的造诣。"接着，根据瓦拉赫自己的想法，妈妈又让他去学油画，可是评语是："你是在绘画艺术方面不可造就的人才！"父母看到这两个评语，几乎绝望了。但是一位化学老师却觉得这个"笨拙"的学生做事一丝不苟，是个研究化学的好材料。结果化学激发了他的潜能，这个文学和绘画上的"差生"，摇身一变成了"化学天才"，最终获得了诺贝尔化学奖。

心理学研究表明，每个正常的孩子都具有一定的"潜能"。所以父母要充分地了解自己的孩子，帮助孩子把优势发挥出来，而不是根据自己的主观愿望和片面印象帮助孩子设定属于他的未来。很多孩子可能不擅长学习数学，但是他可能在音乐上有很高的天分；也有的孩子不喜欢课堂上的学习，那么一些独特的教学方法可能会开启他智慧的大门。

因此，父母完全没有必要纠结于孩子的学习成绩，给他们很大的压力，父母最应该做的是发现孩子的优势，让他们充分发挥自己的潜能，成为一个对社会有用的人，拥有幸福快乐的人生。

训练独立的最佳时机

孩子的 7～12 岁这个时间段，被称为“正在凝固的水泥期”，这时孩子 85%～90% 的性格都已经形成了。在这段时间里，由于学业压力日益繁重，学习习惯和生活习惯正在养成，孩子又急于尝试独立，试图从行为和思想上挣脱父母的束缚，而且也更容易受到同伴的影响，因此，特别需要父母的关注与引导。

处于这一时期的孩子，希望能够脱离父母实现独立，所以是训练他们的决策能力、独自处理压力的能力和解决冲突能力的最佳时期。家长要注意培养孩子这些方面的心理素质，为成年后脱离父母独立打下一个良好的基础。

那么如何培养孩子决策能力呢？首先父母要学会放手，让孩子自己的事自己做主。如孩子有什么兴趣爱好，父母就要尊重孩子的这一爱好，而不是强迫孩子去适应父母的安排。另一方面，父母不要包揽那些本来属于孩子的事情，如文化学习、生活自理、生活自理方面的事等，这些事情让孩子自己去完成和安排。孩子与朋友之间的交往也由孩子做主，当孩子之间出现矛盾和争执的时候，让孩子自己去解决。家庭的事情也要让孩子参与。孩子小、不懂事是现实，但是让孩子参与家庭事务的决策，不仅可以让孩子感受到作为“主人翁”的责任感，也能使孩子的决策能力得到锻炼和提高。

7~12岁的孩子所面临的压力大多是来自学业的压力。父母要帮助孩子建立正确应对压力的方法，通过言传身教让孩子成为能够战胜压力的“达人”。首先，面对孩子的学业和考试，鼓励会比惩罚有更明显的促进作用。此外，家长还要给心理压力过大的孩子传达“欲速则不达”的思想，让孩子不要对一时的结果耿耿于怀，而是要把目光放得长远，只要一直努力就可以，不要为没有取得好成绩而自责。考前要帮助孩子合理地安排生活作息，有意识地为孩子减轻心理压力，告诉孩子只要尽力了就是好样的。最重要的是父母本身要以轻松的心态面对孩子的学业和考试分数，这是帮助孩子积极应对学业和考试压力的一个重要前提。

在与同伴的交往中，孩子会进一步强化自己的自信心，感受到个人价值的提升。一般来说，此时学习成绩的好坏与孩子的自信心直接挂钩，所以父母要帮助孩子养成良好的学习习惯，这对孩子的学习成绩会有很大帮助。另外也要重点培养孩子学习中的注意力和创造力，一些成绩差的孩子如果自信心受挫，父母要鼓励孩子坚持，不要因为孩子成绩不好责骂他，更不能将他与别的孩子比较来进一步刺激他，否则孩子极有可能产生厌学情绪，出现逃课的现象。

7~12岁的孩子想要进一步脱离父母的保护，不管是从行为上还是思想上，所以朋友对孩子来说显得尤为重要。他们此时更喜欢参加集体活动，而且一些思想和行为也很容易受到同伴的影响，很多孩子甚至会在这个时候找到志同道合、

可以维持一生的好朋友。所以爸爸妈妈一定要在这一时期关注孩子的交友问题。如果孩子喜欢攀比，总是嫉妒别人，那么父母要及时引导孩子；如果在这一时期孩子出现不合群的现象，更要引起家长的注意。因为在这一阶段，学校和同学对他们影响越来越大，如果他不能得到同学的认可，在校园里没有朋友，或者冲突不断、受人排挤，这种现象引起的厌学情绪比成绩欠佳更加强烈。如果孩子不合群，父母一定要找出原因，改变孩子的这种状况，否则等到孩子性格塑造的“水泥”凝固，再去教育就晚了。

自我意识觉醒的“第一抗逆期”

许多年轻的父母都有这种体会：孩子到了两三岁就开始不听话，经常和父母顶嘴，事事都喜欢与家长对着干。当发现孩子出现了这样的问题的时候，首先不要生气，而是要思考一下孩子是不是进入了抗逆期。在 3 岁左右，几乎所有的孩子都会出现持续半年至一年的“抗逆期”，这个阶段是儿童心理发展的一个必经阶段，心理学上称为“第一抗逆期”。这一时期孩子最突出的表现是：心理发展出现独立的萌芽，自我意识开始发展，好奇心强，有了自主的愿望，喜欢自己的事情自己做，不希望别人来干涉自己的行动，一旦遭到父母的反对和制止，就容易产生说反话、顶嘴的现象。

当孩子甩开你的手说“不要妈妈，我自己来”的时候，这就表示孩子已经开始拥有了自己的意识，他知道自己具有影响周围的人和环境的力量。孩子这种意识的萌发是孩子心理发展的一次飞跃。而父母之所以产生孩子变得不听话的心理感受是因为习惯了孩子事事都听自己摆布，一旦孩子开始说“不要”“我要自己来”的时候，父母产生了心理落差，有些失落，所以会觉得孩子变得不乖了，但这是孩子心理迅速成长的表现，也是他独立性和自信心发展的大好时机。

此时，两三岁儿童在动作能力方面已经有了较大的发展。他们身体活动能力已经较强，日常生活中的很多事情都可以自己做。因此他们渴望扩大独立活动范围，不断尝试去独立完成新的事情。他的“不”宣告了他要开始用自己的行为探索世界，并且希望爸爸妈妈能够认同自己的这种想法并对他的探索行为表示支持而不是限制或者干涉。如果父母进行干涉，一定会引起他强烈的反抗。

另外，此时孩子的自我意识也得到了发展。原本孩子还不能区分自己的意愿和别人的意愿。现在，他们已经能够清楚地知道哪些事情是让“我”做的，哪些事情是“我”想做的。因此，他们就想顽强地表现自己的意志。但是这种表现往往与成人的规范相抵触，于是孩子就会产生挫折感，从而导致反抗行为。

当然，此时的孩子因为年龄还小，所以无法正确地区别是否安全，而父母在看到他们从事不安全行为的时候，一定会阻止孩子。为了让自己的探索行为顺利进行，孩子就会用哭闹、撒娇来表示自己的不满并且请求父母让自己继续进行下去。

很多家长都非常讨厌孩子这种“蛮不讲理”的行为，认为自己好心不想让他遇到危险，结果却引起了孩子与自己激烈作对的无理行为。其实这时候父母不要急着去谴责孩子的无理，而是应该站在孩子的角度想一想。孩子年纪很小，当然没有很强的情绪控制能力，而此时他们的心智也没有发育成熟，所以他们一旦有不满，就直截了当地表现出来。所以大人不要以为这是孩子故意在和自己作对。

其实，反抗并不总是一件坏事。

曾经有专家做过这样的研究：将 2～5 岁的孩子分成两组，一组反抗性较强，一组反抗性较弱。研究结果发现，反抗性较强的孩子中，80% 长大以后独立判断能力较强；反抗性较弱的幼儿中，只有 24% 长大以后能够自我行事，但是独立判断事情的能力仍比较弱，常常依赖他人。

所以，反抗行为有时候是孩子有独立自主的想法的表现，这是孩子发展判断力的大好时机，值得父母重视。知道了这一点，父母完全可以试着冲破传统观念的束缚，尝试着去鼓励孩子的想法。你要想到孩子的反抗只是他表达自己的方式，如果孩子的要求合情合理，父母完全应该满足孩子的要求。

心理烦恼的“第二抗逆期”

> 皓皓在家里一直是个非常听话的好孩子，爸爸妈妈让他做什么，他就去做什么，从来不会惹爸爸妈妈生气。可是自从皓皓上了中学之后，情况就发生了改变。有一天，皓皓放学回到家里，妈妈已经把饭都做好了，正在等他回来吃饭。看见皓皓回来，妈妈就说：“皓皓，你去把爷爷奶奶叫来，该吃饭了。”可是皓皓却说了句：“不，我不去。”妈妈听了这话就说了他几句，可他竟然跟妈妈吵了起来。妈妈不禁想：皓皓一直是个好孩子呀，怎么上了初中就变坏了呢？

心理学研究发现，孩子 3～6 岁和 7～12 岁期间会有两次特殊的心理发育时期，这两个时期他们都表现出叛逆的特点。如果你的孩子在这两个时期没有表现出特别叛逆的现象，妈妈反而要思考孩子在成长中是不是出现了什么问题。

孩子 7～12 岁这一年龄段属于“第二抗逆期”。由于孩子之间的发展不平衡，所以这个抗逆期可能出现在小学高年级，也可能延迟到高中初期。这段时期的孩子处于生理和心理发展急剧变化的时期，他们对父母的管教深为反感，甚至会在行为上发生反抗。有的学者也把这段时期称为“心理断乳期”，国外有的心理学家则把它称作“为从父母的束缚中解放出来而战斗的时期”，或叫“心理烦恼期”。可见，孩子在这一时期的心理问题比较多，比较复杂。

第二抗逆期产生的主要原因是孩子对自己的发展认识超前，而父母对他们发展的认识滞后。简而言之就是孩子认为自己已经长大了，而父母认为孩子还小。所以这个时期的孩子会觉得父母们非常不理解自己，认为父母很主观，很自以为是，根本不关注自己的感受。这一时期他们的交往也逐渐地从与成人的纵向交往转向与同龄人的横向交往。

那么孩子为什么会产生自我认识超前的现象呢？首先是孩子的身体在这一时间段加速成熟，使他们产生了“成人感”——自以为已经成熟。但是事实是，虽然他们的身体日益接近成人，但是他们在知识、经验、能力方面并没有成熟，这就造成了成人感与半成人现状之间的矛盾，这种矛盾是造成抗逆期的主要原因。

在心理方面，他们的自我意识飞速发展，因此他们要求在精神生活中要摆脱成人，以独立人格出现。

他们所处的社会环境也会对他们的思维意识产生影响。进入中学以后，学校环境和教与学的要求都发生很大的变化，这种更高的要求，势必激励他们产生“长大成人”的责任感。而且，他们在这时候非常在意自己在同龄人中的地位，希望得到别人的尊重和接纳，他们为此要争取独立自主的人格。当自主性被忽视或受到阻碍，人格伸展受阻时，就会引起反抗。

面对孩子的种种反抗行为，妈妈要做的是学会勇敢放手。 因为这个时期的孩子喜欢反抗父母，有的时候甚至会为毫无道理的事情为难父母。 这时候父母要学会从束缚中解放孩子，让他们为自己的反抗负责任。 比如有时候孩子可能会非常生气地冲你大吼，说：“你为什么总是要叫我起床，我都这么大了，起床的事情不用你管！”这时候妈妈要做的不是冲着孩子大吼大叫，或者泪水涟涟地控诉孩子不知好歹，而是安静地走开，第二天不要叫他起床。 经过迟到的教训之后，他自然会自己对自己负责。 其实这是一个让孩子成长的大好机会。

虽然孩子有了独立的意识，但是因为孩子的经验不足，所以很多事情还是需要父母从旁保驾护航的。 但是父母不要生硬地提出自己的观点，而是要用旁敲侧击的方式去引导孩子，否则只会引起孩子更严重的反抗。

其实，如果父母处理得当，随着孩子的逐渐成长和理解能力的逐渐增强，他们的反抗心理会逐渐消失。

掌握技巧，让孩子安全度过抗逆期

对于处于不同抗逆期的孩子，家长需要用不同的技巧来帮助孩子。 具体说来，在第一抗逆期的时候，家长在教育孩子的过程中需要注意以下几点：

1. 首先要给孩子树立好脾气的榜样

孩子的模仿能力是很强的，而他们最常模仿的就是自己的父母。 如果父母的脾气都很大，常常遇到一点小事就大发雷霆，动不动就气得脸红脖子粗，这样不能控制自己脾气的父母往往也带不出能够很好控制情绪的孩子，因为父母是孩子最好的榜样，父母对待事情的态度往往会被孩子照搬到自己身上，这也是为什么很多人都说“孩子是父母的镜子”的原因。

2. 父母的教育要一致

每个家庭中都应该建立固定的习惯和秩序，父母在孩子的教育问题上一定要保持一致。 对待孩子的同一个行为，千万不要爸爸是这种处理方法，而妈妈采取的则是截然相反的方法，这样会让孩子在生活中变得无所适从。即使父母有不一样的教育理念，也一定要避开孩子私下讨论，达成统一，绝对不要在孩子面前争论谁的教育方法更先进，更有效。

3. 父母要理解孩子，多站在孩子的角度去思考

父母要在情感上多多与孩子进行耐心、真诚的交流。在交流的过程中要注意孩子的情绪。当孩子出现抗逆行为时，父母不要怒气冲天，而是应该先平静下来站在孩子的角度去理解他的感受和想法，然后跟孩子确定自己的理解正确与否，如果正确，再对孩子的行为进行引导。家长最好养成与孩子谈心的习惯，时时关注孩子的思想状况和动态。

4. 给孩子提供展现自我的机会

处于第一抗逆期的孩子有了较强的独立意识，此时家长应该鼓励孩子自己动手做一些力所能及的事情，并且要尊重孩子的劳动成果。即使孩子第一次做得不好，也不要当着孩子的面帮助他重做，因为这样只会打消他自己动手的积极性。

5. 对孩子的脾气不能一味忍让

虽然此时孩子发脾气情有可原，但是如果对孩子这种行为一味退让的话，时间长了，孩子就会把反抗作为一种手段来试图控制父母并达到自己的目的，这无形中反而会促进孩子养成常发脾气的坏习惯。

孩子的“第二抗逆期”又被称为“危险期”，这是说 7 ~ 12 岁这一年龄段的孩子对父母的管教极为反感，甚至会在行为上产生对抗。对这个时期孩子的教育，父母要注意以下几点：

1.把“他律”变成“自律”

好孩子不一定是听话的孩子。当孩子不听话的时候，家长可以和孩子进行交谈，把自己的约束潜移默化为孩子内心的自我要求，变成“自律”，孩子的反抗意识就会得到缓解，同时这也有助于孩子的独立发展。

2.不要压抑孩子，也不要放纵孩子

压抑孩子的反抗并没有多大作用，反而可能会引起孩子更大的心理反抗。“哪里有压迫，哪里就有反抗”，这个道理在家庭教育中也是适用的。当然，对孩子也不能过度放纵，当孩子出现严重的原则性问题的时候，父母一定要进行教导，不能任由孩子发展下去。

如果孩子能够顺利地度过这两个抗逆期，那么他们的心理、智力以及意志力、创造力都会得到很大的发展，所以父母一定要重视这两个时期对孩子的教育，一定不要在这两个时期让孩子误入歧途。

◇ 关注孩子的情绪 ◇

在孩子的成长过程中，我们要时刻关注孩子情绪的变化，尤其是男孩子，他们希望得到别人的尊重和接纳，当自主性被忽视或受到阻碍，人格伸展受阻时，就会引起反抗。面对孩子的种种反抗行为，妈妈要做的是学会勇敢放手，给孩子自我成长的机会。

高情商家教思维

1. 家长如何与孩子之间建立起稳固的依恋关系？

2. 孩子度过敏感期的最好方式是什么呢？ 家长又能做些什么呢？

3. 孩子的迷茫你知道吗？

4. 你习惯给孩子在学习上过多的压力以促使孩子好好学习吗？

5. 掌握技巧让孩子顺利度过抗逆期的方法有哪些？

第七章

教育孩子要懂的儿童气质心理学

孩子气质越早了解，越好教育

气质，是表现在心理活动的强度、速度、灵活性与指向性等方面的一种稳定的心理特征。孩子刚出生的时候就具有明显的个性差异，这就是天赋的气质。比如有的孩子一出生就很安静，有的总是哭个不停；随着年龄的增长还会表现出更多的行为差异，比如有的孩子见到生人不害怕，总是笑脸盈盈，而有的孩子则躲在妈妈身后很久才肯与人打招呼；有的孩子遇到困难就容易放弃，有的则锲而不舍，坚持到底；有的孩子对声、光、冷、热很敏感，有的则很难感受这些环境的细微变化；有的孩子生活很有规律，有的则喜欢随性地生活……这就是天生的气质带来的不同表现。气质是人格形成的原始基础之一，两者之间的区别在于，人格的形成以气质、体质等先天条件为基础，并且受到社会环境的影响；而气质是指人格中的先天倾向。

气质学说最早是由古希腊的医生希波克拉底提出的，他认为人体内有四种体液：黄胆汁、黑胆汁、黏液和血液。根据这 4 种体液的在人体内的不同比例，他把人的气质划分为 4 种类型：体液中黄胆汁占优势的气质类型被称为胆汁质；黑胆汁占优势的气质类型被称为抑郁质；体液中黏液占优势形成黏液质；血液占优势则是多血质。

这几种气质类型的人具有不同的行为特点。胆汁质的人性格暴躁，容易情绪激动，不过他们反应迅速，行动敏捷，能以极大的热情投身于自己感兴趣的事物中，不过一旦精力消耗殆尽，他们就会变得沮丧且一事无成；抑郁质的人情感细腻，总是会因为微不足道的原因动感情，行事孤僻，面对危险时会极度恐惧；黏液质的人动作缓慢，但是注意力持久，情绪不易激动，自制力强；多血质的人能够很快适应环境，善于交际，受不了一成不变的生活。

孩子从很小的时候就已经表现出了自己的气质类型。如果父母能够早些了解孩子的气质类型以及这种气质可能带来的人格特点，那么父母就可以有针对性地教育孩子，帮助孩子扬长避短，这对孩子早日成材大有好处。

父母首先要明确的是气质不等于人的风格和气度。人的气质可以划分成不同的类型，每一个人都有不同的气质类型，但绝大多数人都只是接近某种纯粹的类型，同时兼具其他气质类型的特点，所以家长在判断孩子的气质类型时，千万不要硬把孩子划到某一类型中去，而是应该通过观察和测定去发现孩子具有哪些气质特点。

父母在判断孩子的气质类型时，一定要了解以下几个原则：

（1）明确每个孩子都有固有的独特气质。每个孩子都具有与众不同的一面，不同的孩子对同一事物可能会出现完全不同的反应，但是他们的反应模式在一定程度上具有一贯性。

（2）气质类型在遭遇变故或者有压力时会表现得更加明

显。一个人在面对困难时的态度和反应更能体现出本质。比如，当孩子转学到新的学校时适应新环境的方式，或者当孩子面对重大考试时的态度，都能很好地体现孩子的气质特征。

（3）父母应当顺应孩子的气质进行教育。这就需要父母明确孩子的气质类型之后调整自己的期望或要求，为孩子提供能够契合他的气质的生活环境。当父母的期望能够与孩子的气质相吻合时，孩子的发展前景往往是乐观的。

火爆易怒的小狮子：热情似火，行为冲动

艾伦从小就是个活泼的孩子。她的身上似乎总是充满着能量，无时无刻不闪耀着夺目的光辉。新邻居刚刚搬来的时候，艾伦就跑到他家热情地邀请邻居的孩子来家里做客；每次有人敲门，她也总是第一个跑过去开门，所以送报纸的邮递员最熟悉的人不是家里的女主人，而是孩子艾伦。而艾伦在整个街区也是出了名的受欢迎，她总是活力四射地主动和每一个人打招呼。

不过这个孩子也很让妈妈头疼。有一天，艾伦跑到妈妈跟前说："妈妈，我不喜欢书桌的颜色，想换一个颜色。"妈妈和蔼地笑着说："孩子，你喜欢什么颜色呢？想好后我们买涂料一起来粉刷怎么样？""好！"艾伦跑开之后好久都没再来缠着妈妈。于是妈妈就去她房间看她，眼前的一切让妈妈惊呆了！原来艾伦正坐在地上，把墨水往书桌上涂。看到妈妈来了，艾伦还兴高采烈地嚷道："妈妈，你不用担心了！我觉得蓝墨水的颜色就很好！我自己来刷就好了！"

艾伦就是一个典型的胆汁质孩子，这类孩子总是热情似火，似乎身上有着用不完的能量。胆汁质的孩子喜欢运动，喜欢说话，总是能够无形之中拉近和别人的距离；另外胆汁质的孩子爱管闲事、讲义气、爱打抱不平，做事光明磊落，所以很容易交到朋友。这是他们的优点。但是胆汁质孩子的性子总是很急，做事冲动，总是不经过思考就急于采取行动，这也是他们最大的缺点。比如故事中的艾伦，他一旦做出了决定就要马上行动，几乎一刻也不能等待。胆汁质的孩子是非常容易做出决定的，而且他们会不加考虑地立刻就执行这个决定。此外所有的决定他们都希望是自己做出的，如果别人强加给他们一些要求，他们是一定会反抗到底的。

胆汁质的孩子小时候很容易生气，为他们没有达到某种目的而懊恼。比如，当你拿着一个玩具逗他，他伸手想要，你却故意把玩具拿走，这时候胆汁质的孩子不会像其他孩子一样理解父母的用意，他会十分生气地大哭，直到你把玩具放在他手里为止；甚至胆汁质的孩子学写字和其他孩子都有很大区别，他们常常会因为用力过猛弄断笔头；而他们的画作也常常是浓墨重彩。

其实，胆汁质的孩子并不是“小恶魔”，他们只是无法控制自己的情绪。即便随着年龄的增长，他们也无法像其他孩子那样做出足够的思考之后再行动，他们永远急于行动。

在家长的眼里，胆汁质的孩子总是能够给自己带来积极向上、充满激情的感觉，但是也要时时担心孩子会不会行事冲动，出去闯祸。而在老师的眼里，胆汁质的孩子就是那种麻烦不断的家伙，上课的时候坐不住，总是在椅子上动来动去；老师问题还没问完，他们的答案已经脱口而出，但是常常“驴唇不对马嘴”；他们喜欢玩打仗游戏，而且经常会和同学动手打架。不过，如果老师给他们安排一些“领导职务”，他们却会马上放弃自己这种出格的举动，变身为一个合格的“领导者”。

其实，这并不是一件奇怪的事情。因为让他们担任一定的职务就是让他们承担了相应的责任，而这种责任可以培养孩子的自控能力。对于胆汁质孩子来说，如果能够提高自己的情绪控制力，他们其实很具有领导才能，不仅能够热情地帮助别人，还能公平公正地处理事情，会成为特别受欢迎的孩子。

训练孩子的情绪控制力

晶晶是个热情活泼的女孩，对待别人十分真诚，而且总是主动地去帮助别人，很受同学和老师的欢迎。晶晶还是一个热爱班集体的人，学校大扫除的时候都能看到她活跃的身影。可这样一个讨人喜爱的孩子，竟然是一颗“小炸弹”，稍有不顺心就会大发脾气，而且发泄方式也很吓人，教室里经常会上演她声嘶力竭的大哭、使劲揪自己的头发、撕书撕纸的戏码。发完脾气之后，老师找她谈话，她会很平静地承认自己不对，但是用不了多久，她又会故态重演。

其实晶晶是一个很典型的胆汁质儿童，她的种种表现是胆汁质孩子的共同特点：精力旺盛、易冲动、情绪变换剧烈。对于胆汁质孩子来说，提高他们的情绪控制能力是最有效的解除气质枷锁的武器。那么父母要怎样才能帮助孩子提高情绪控制能力呢？

首先最重要的一点是要爱孩子。也许有的家长会说：“谁不爱孩子呢？这跟提高情绪控制能力有什么关系呢？”

其实这一点很重要。因为胆汁质的孩子脾气火爆，所以很多时候会让成人面对他们的时候也会不由自主地怒气冲天。对胆汁质孩子的爱要体现在尊重他们的气质，不要强迫他们去改变。虽然对任何类型的孩子，都不应该去改变他们的天性，但是胆汁质孩子被强迫的时候会出现非常强烈的反抗。另外当他们发怒的时候，父母要控制住自己的情绪，不要被孩子的情绪影响，否则只会让整个事件火上浇油，不能从根本上解决问题。

要提高孩子的情绪控制能力，要让孩子学会冷静。父母要帮助发脾气的胆汁质孩子冷静下来，当孩子平静之后，不要当天解决问题，而是要在第二天为孩子分析整个事情的前因后果，让他们认识到自己的错误。如果当时场面失控，父母要立刻做出反应。比如有的胆汁质孩子和小朋友玩耍的时候，极有可能一言不合就动手打人，有的时候甚至会不管三七二十一，拿起手边的东西就扔过去。这时候父母要冲过去抱住孩子，不管他们如何挣扎都不要放手，另外还要在孩子的耳边低声安慰，平复他们的心情。

当孩子心情平复之后，家长要引导孩子思考有没有更好的解决办法。首先要告诉孩子在遇到冲突、矛盾和不顺心的事情的时候，发脾气是不能解决问题的，可以采取这样三步来解决问题：首先，明确生气的主要原因是什么；然后，进行冷静的分析，明确哪些方式可以解决问题；最后，找出最佳的解决方式，并采取行动。

如果父母的努力没有抑制住孩子愤怒，那么父母也可以用其他东西来转移孩子的注意力。其实，人的情绪往往只需要几秒钟、几分钟就可以平息。但是如果不良情绪没能及时转移，就会变得更加强烈。比如，忧愁的人越是往忧愁的方面想，就越会感到自己无助；而正在生气的人越是想着让自己发怒的事情，就越会觉得自己的怒气还没有发泄出来。现代生理学研究表明，人在遇到恼怒的事情时，会把不愉快的信息传到大脑里面，随后逐渐形成神经系统的暂时性联系，形成一个优势中心，而且越想越巩固；但是如果马上转移，想高兴的事，建立起愉快的兴奋中心，就会有效地抵御、避免不良情绪。

父母还要教会孩子合理地宣泄不良情绪。看到孩子情绪低落的时候，可以抽出时间和孩子一起聊聊天，做做游戏；发现孩子要发脾气的时候，可以带孩子去做做运动。

胆小敏感的小鹿：细心谨慎，敏感怯懦

5 岁的浩浩，长得白白净净、眉清目秀，谁见了都说像个女孩；他的性格也是出奇地安静，平时很少出门和其他的小朋友一起玩，也不邀请其他人来家里做客，总是喜欢一个人看书、玩玩具或者赖在家里听奶奶讲故事。浩浩很乖，哪些事情不能做，只要说一遍他就不会违反。家里人从来不会担心他会有什么冒险的举动。如果父母答应了什么却忘记了，他也不会大吵大闹，相反会变得更加小心翼翼，好像是因为自己不够好父母才惩罚他。

但是父母却对孩子的这种表现有些头疼，因为和同龄的孩子比，浩浩太过温顺，而且胆子很小，不仅怕狗怕猫，甚至连小白兔也不敢摸一下；浩浩还害怕上幼儿园，老师说他在幼儿园很少说话，也很少参加集体活动，被老师点名回答的时候也很不自在。

晓晓从小就是一个很敏感的孩子。她胆子一直很小，所以每天上幼儿园的时候都会与妈妈上演一场“生离死别”的大片。妈妈最近发现晓晓害怕上幼儿园的倾向更

加严重了，开始每天早晨赖着不起床，到了幼儿园总是抱着妈妈不让走。终于在妈妈的询问下说出自己不喜欢英语课，因为老师总是说她，而且英语课还总是需要学生上去演讲，这对她来说很痛苦。妈妈找到老师打听情况，老师说："晓晓上课的时候有些心不在焉，我有时候会提醒她一下。"妈妈明白了，因为晓晓的敏感，她把老师的善意提醒当成了对自己的批评，妈妈于是跟老师讲了孩子的性格，并且拜托老师要尽量在私下提醒孩子。晓晓不喜欢能够表现自己的英语课，她最喜欢的是能够安安静静地不说话，并且能够展示内心的美术课。

浩浩和晓晓都是典型的抑郁质孩子，让他们产生兴奋的感觉很难。这种类型的孩子一般都比较胆小，不爱说话，不喜欢与人交往，不适应陌生环境，一遇到陌生人会害怕。在老师叫他们回答问题的时候，他们经常需要比其他孩子更长的时间才能站起来，而且回答问题的声音也很小，让他们做抛头露面的事情更是难上加难。他们受到表扬的时候也不会喜形于色，受到批评时则会默默承受，被冤枉的时候也不去辩解。虽然孩子在幼儿园里不唱不跳，让别人感觉有些笨拙，认为他们没有学会，但是回家后他们又能够把学过的东西表现出来。这个类型的孩子安静、守纪律、懂道理、注意力集中，具有丰富的想象力，情感细腻，善于觉察细微的变化；缺点是胆小，缺乏与他人交往的能力，缺乏自信，敏感沉闷。

抑郁质孩子的家长要在家庭中创造出轻松、快乐、温馨的气氛，要经常以亲切温和的态度关心孩子，热情鼓励他们参加各种活动，并且要帮助他们感受到成功，以提高他们与人交往的能力。

当抑郁质的孩子犯了错误时，家长一定不要当着他人的面批评，而是要尽量选择在没有其他人时，轻描淡写地说明错误，并鼓励他去改正。此外，还要注意自己说话的语气，一定不能表露出厌烦的情绪。

为了激发他的勇气和信心，家长要鼓励抑郁质的孩子多参加集体活动，以增强他的适应能力，克服孤僻、敏感。为了帮助孩子克服不敢上台的困难，可以在家里创造表演、讲话的环境，帮助他做好充分准备，这样就能逐步提高他们面对众人的勇气和信心。此外，家长还要带着孩子多多参加户外的体育运动，鼓励他们参与具有表演性的训练。

有人说过，如果抑郁质孩子教育得当，他们会是这个世界上最幸福的人，因为他们情感细腻，如果再学会事事从乐观的角度去思考，他们会体验到更多的幸福和快乐。

多与孩子沟通，培养自信心和独立性

这个时代的标志就是竞争，自信是竞争必备的品质。可是抑郁质孩子最缺少的恰恰是自信心，因此抑郁质孩子最需要培养的品质就是自信。

中国家庭教育专家鲁杰曾经说过：“对孩子自信心影响最大的是家长平时的做法。而在家长与孩子的沟通中，恰到好处的语气是其中关键的一环。”那么什么样的语气才是恰到好处呢？其实最简单的标准就是父母能够在合适的地方运用商量、鼓励和信任的语气，而不是使用命令、要求和质疑的语气。因为即使是相同的话，用不同的语气说，也会带来不同的效果。如果父母能够长时间地用商量、鼓励和信任的语气和孩子说话，就算是再没自信的孩子，慢慢地也会信心倍增。

父母和孩子之间良好的沟通，是孩子增加自信的条件之一。与孩子沟通的时候，父母还要注意准确运用一些肢体语言，比如用手摸摸孩子的脑袋、轻轻拍拍孩子的肩膀表示肯定和鼓励，这些都将对孩子建立自信有重要的作用。

鼓励是培养抑郁质孩子自信很重要的一个方面。虽然每个孩子都需要不断的鼓励，但是抑郁质孩子对鼓励的需求更多。当孩子试着做一件事却没有成功时，家长一定不要进一步责难孩子，而是要告诉孩子，做一件事情失败了并不是无能，只不过是还没有掌握技巧而已。

有些家长喜欢用“激将法”鼓励孩子，但这对抑郁质孩子来说无异于在受伤的心上又撒了一把盐。

不过要注意的是，虽然对抑郁质孩子的教育要以表扬为主，但是表扬也要讲究技巧。家长在表扬孩子时不要太笼统，也不要过于轻描淡写，要尽量指出哪些地方做得好，让孩子觉得不是在虚夸，而确实是在肯定自己的成绩，这样会让他们勇于创造的信心大增。

要提高抑郁质孩子的自信，还要帮助孩子发现自己的优点，让他感受到自己在某些方面比别人强。父母要多角度观察孩子，引导孩子发现自己的优点之后，适当放大孩子的优点，这很有利于增强孩子的自信。抑郁质孩子不喜欢与其他孩子一起游戏，如果他勇敢地跨出了第一步，父母除了要及时表扬之外，还要观察孩子与小伙伴之间的能力，同种能力相差太大的孩子最好不要总在一起玩。因为总是输的孩子，很容易产生沮丧和自卑心理。

成功的喜悦能够更好地帮助孩子获得自信心，所以父母要帮助孩子获得成功的体验比如给孩子布置一些他一定能够完成的任务，做到了就表扬他。家长应该根据孩子的特长和能力提出适合的任务和要求，让他们经过努力能够完成。

抑郁质的孩子因为性格内向，还很有可能养成依赖父母的习惯，所以培养他的独立性也是很必要的。

首先，放手让孩子去做他力所能及的事情。凡是孩子能做的就让他自己做，不要代替他，比如整理书包、收拾玩具、洗袜子等。在这个过程中，父母要有耐心，当孩子没有做好的时候多一些宽容，不要求全责备。

抑郁质孩子的依赖性更多地表现在让父母帮助自己做决定。家长要知道，自我选择是独立性中很重要的一个方面，家长一定要引导、鼓励他们自己去决断，这样才能帮助他们克服优柔寡断。家长要有意识地给孩子创造更多做选择的机会，凡是可以让孩子参与讨论做决定的事情一定要孩子参加，比如去哪里旅游，什么时候去博物馆等。如果孩子提出的意见能够被采纳，这不仅能够提高他们的决策能力，也能提高他们的自信心。

稳重冷静的小乌龟：专注冷静，固执己见

黏液质的人通常是抱有中庸之道的一类人。他们善于与人相处，容易适应新环境，即使是独处也能过得悠闲自在、自得其乐；他们为人非常低调，总是安静地做着自己喜欢的事情，总是尽力避免冲突，不易发怒。黏液质的成人会是一流的老板，但是不适合创业，只适合做“守业者”。因为他们虽然善于与人相处，不制造事端，不干涉别人，能够客观地看待别人，但是他们没有主见，适应新事物需要一段时间。如果父母是黏液质，孩子也会过得很开心，因为黏液质的父母会是优秀的父母，对孩子随和，不会提出过高的要求，只要孩子开心快乐就好。

那么黏液质的孩子是什么样的呢？

西西今年5岁，是个很安静的女孩子，在很多人面前讲话的时候会很害羞。虽然她总是很羞涩，但是班里的每个小朋友都喜欢和她玩，因为无论是谁想借她的玩具，她都不会拒绝；有时候就算是很不情愿，自己低着头思考好久，但是最后一定会把玩具递给别的小朋友。如果

被别的孩子欺负，西西也不会反抗。她的父母为此十分苦恼。

西西就是一个典型的黏液质的孩子。他们平时很安静，不会惹事，动作缓慢，做事拖拉，即使是一个人玩玩具也能玩很久，而且看起来兴致勃勃，没有丝毫的烦躁。

他们受到表扬的时候会微微一笑，受到批评的时候会低着头不说话。当他们沉浸在自己的小世界中的时候，不容易受到周围环境的干扰。不过他们很害怕变动，如果习惯了一件事情，他们就会一直用同样的方法解决问题。黏液质的孩子天生看问题比较消极，但一般不会出现情绪低落的情况。

黏液质的孩子情绪总是很稳定，要让他们的兴奋很难，但是他们同一种情绪可以保持很久。此外，虽然他们能够敏锐地感受到周围的变化，但不会灵活地去应对这种变化。

黏液质的孩子一般都有“小大人”的倾向，他们总是稳重有度、不卑不亢，与别人交往的时候也会坚持“适度原则”，不会完全向别人打开自己的心扉。他们讨厌毫无内容的夸夸其谈，情感上不易出现波澜，也不喜欢发脾气，情感一般也不会外露，也不常常显露自己的才能。所以黏液质的人在社会中很受人欢迎，因为他们善于倾听，而且能够给别人客观地指出问题所在，并且提出中肯的意见。而且他们也有幽默的一面，不过通常是些“冷幽默”。黏液质的人还拥有坚持不懈的毅力，能够长时间有条不紊地从事自己的工作。

不过黏液质的人也有缺点，那就是不能够灵活地处理事情，也不善于转移自己的注意力。这种思维上的惰性严重地阻碍了他们的发展，这种个性让他们因循守旧，容易安于现状、不思进取。

黏液质孩子如果教育得不好，极容易形成保守、固执、冷漠、不关心集体的性格；但是如果他们能在健康的环境中长大成人，他们就会成为踏实稳重、非常敬业的员工，也具有成为优秀管理者的潜力。

创造幽默活泼的环境，给孩子快乐的享受

黏液质的孩子总是会给人性格沉闷的感觉，像个老成持重的“小大人”，虽然很让父母放心，但是身上总是少了一些孩子天真活泼的朝气，这进而影响了他们的思维发展。如果想让黏液质孩子变得活泼开朗一点，那就一定要在家里营造出幽默轻松的气氛，让孩子受到一些甜蜜的刺激，给孩子一些出其不意的惊喜，让孩子逐渐适应充满变化的家庭氛围，这样他的个性就会慢慢改变。

如果家里经常充满欢声笑语，孩子在很大程度上也会成为一个快乐的人。和谐快乐的家庭氛围对于孩子的成长是非常重要的，如果家庭成员之间关系不和谐，孩子生活在这种氛围中总是会感到非常惊恐，所以爸爸妈妈应该为孩子创造一个轻松、愉快、充满幽默感的家庭氛围，这样孩子就能获得充分的安全感，健康快乐地成长。

家里如果总是充满幽默风趣的气氛，那么黏液质孩子就很容易摆脱沉闷的性格。那么家长要怎么在生活中发现幽默，创造幽默，利用幽默，进而改善孩子的个性呢？

首先，家长可以试着用亲子游戏来让生活充满笑声。幽

默的孩子一定是爱笑的孩子，爱笑的孩子往往善于发现生活中的幽默和制造幽默，这对于改善黏液质孩子的个性是非常有好处的。在日常生活中，家长可多跟孩子玩一些有趣的亲子游戏，如“两人三足”“袋鼠跳”等。在游戏中，不仅能增强亲子感情，让孩子懂得团结协作的重要性，而且游戏中夸张有趣的肢体动作、妙趣横生的失误环节也肯定会让你和孩子忍俊不禁，让孩子在轻松快乐的环境中产生幽默感。

另外，当孩子遇到挫折的时候，比如当他刚刚学走路摔倒，不小心撞到身体或者做什么事情失败的时候，家长要学会用幽默的方式来安抚他，可以向他做个鬼脸，表示没关系。幽默具有神奇的力量，看到父母的鬼脸，孩子极有可能破涕为笑，重新燃起希望。

父母还可以经常陪孩子阅读幽默故事、机智故事、脑筋急转弯等，这不仅可以让孩子变得开朗，学会乐观地看待生活，还可以训练孩子思维的敏捷性，丰富孩子的词汇。当孩子的阅读量达到一定程度，可以和孩子一起编幽默故事，可以改编电影、电视剧的情节或结局来激发孩子的幽默感。

因为黏液质的孩子不善于灵活地解决问题，所以父母要多创造一些变化来让孩子活跃思维。可以用具有动感的游戏来促进孩子的发展，训练孩子的灵敏度。“过家家”是一种很需要创造思维的游戏，适合黏液质的孩子。玩游戏的时候，尽量让孩子主导，父母要有意识地向孩子请教，创造机会让孩子出主意，激发他的指挥兴趣。

家长还要努力创造条件让孩子走出家门，去一些公共场合与其他的小朋友一起玩。开始的时候，父母可以为孩子选择几个性格开朗的朋友，当孩子学会如何与别人交往之后，要鼓励他们多多与小伙伴交往，并且当孩子在交往中出现问题的时候，要及时指导孩子如何处理。

家长还可以有意让孩子多与外界接触，比如需要和邻居借东西的时候让孩子去，也可以邀请朋友带着孩子多来家里做客，或者带着孩子去朋友家做客。对孩子主动做的事情，家长要及时地给予鼓励，这样能激发孩子下次做事的欲望。

如果家长总是能够用这些新鲜的体验给孩子带来快乐的感觉，那么黏液质孩子一定可以克服固执不会变通的缺点，喜欢上这个充满变化的世界。

机灵敏捷的小猴子：适应性强，精力分散

晓雯是个初一女生，她聪明可爱，见到陌生人从来不会感到拘束，也很容易与陌生人成为朋友，即使不是同龄人，她也能应对自如。

有一次，晓雯跟着妈妈去参加了妈妈单位组织的活动。她开朗幽默，充满朝气，似乎和每个人都有共同的话题，走到哪里就把笑声带到哪里，很快整个队伍中的人就都认识了她。同事们纷纷对晓雯妈妈竖起大拇指，说她培养出了一个优秀的女儿。

妈妈表面上笑着，心里却在想："唉，这些同事是没有看到我发愁的一面啊！"原来晓雯活泼开朗，喜欢交朋友，所以把大部分时间都用在了结交新朋友、和朋友聊天中。晓雯还有一个毛病就是做事虎头蛇尾，不管是学习还是做家务，常常是三分钟热度，没有耐心。妈妈总是想："这孩子除了有一张讨巧的嘴，没有任何让我满意的地方。"

我们在生活中经常会听到一些父母抱怨："我那个孩子一刻都安静不下来，上学经常违反纪律，跟老师抢话。"这种类型的孩子往往是多血质，故事中晓雯就是一个典型的多血质孩子。多血质孩子活泼外向，朝气蓬勃，充满活力，兴趣广泛。他们善解人意，对所有人都十分热情，不管是熟人还是陌生人，总是能够找到和别人的共同语言，所以多血质的孩子常常拥有很多朋友。他们喜欢尝试新鲜事物，总是能够迅速地抓住事物的重点，而且具有很强的环境适应能力。多血质的孩子思维也很活跃，他们上课常常不经老师许可就打断老师的话，这不是他们故意违反纪律，相反这是他们大脑正在高速运转的体现。他们上课的时候喜欢回答老师的问题，而且能够有条理、表情生动地回答问题。

虽然多血质的孩子优点很多，但是他们身上也有着很多让老师和父母头疼的毛病，最常见的就是做事情总是三分钟热度，没有办法把注意力长时间集中在一件事情上。此外，他们做事情不认真、不仔细，总是觉得任何事情做得差不多就可以，没有必要追求完美，这一点和抑郁质以及黏液质的孩子有很大区别。另外，多血质的孩子也会有任性霸道的时候，生气的时候会非常愤怒，犯了错误也会固执己见。

对多血质孩子具有的优势要进行因势利导的教育，充分发挥他们的长处，让他们保持开朗活跃、朝气蓬勃的优点。但也不能忽视孩子精力分散的缺点，要多多训练孩子的注意力，要逐渐延长时间，让孩子最终能够长时间关注一件事情。做事时，先让孩子先从简单的做起，复杂的事情要循序渐进地引入他的生活。另外，父母要对孩子是否完成了这件事进行监督和检查。最开始的时候可以每件事都检查，然后慢慢变成抽查，当发现孩子有了明显进步的时候要给予肯定。这样孩子就会慢慢克服做事有头无尾、浮躁的缺点。

家长还要让多血质孩子多做一些细致的事情，可以是游戏，也可以是家务劳动，总之要让他们坚持把事情做完、做好。这样可以改善他们无论做什么事都大而化之的倾向，养成吃苦耐劳的品质。如果有矛盾的话，要和他讲道理，不要强迫，也不要放纵他们。

多血质的孩子如果教育不好，就容易形成注意力不集中、做事怕苦怕累、虎头蛇尾、变化无常的性格，但是如果教育得当，这些孩子就能够成为乐观向上、勇敢、有韧性的人才。

帮助孩子控制好情绪

平平是个典型的多血质孩子，她很喜欢和小朋友们一起玩，楼下院子里的小朋友也都很喜欢她。但是妈妈却发现了一个让人挠头的问题，那就是平平虽然人缘很好，但是只要小朋友说了一句惹她不开心的话或者做了让她不高兴的事，她可能会马上大发雷霆，也有可能站在那里哇哇大哭，可是过不了多久，她又会开开心心加入小朋友的新游戏中，似乎一切都没有发生过。妈妈很担心："孩子这样不会调节情绪，虽然朋友很多，但是能够交到可以交心的朋友吗？"

多血质的孩子天生的特点就是"动"，他们总是喜欢追求变化，所以父母首先要尊重孩子的特点，在这个基础上再去完善孩子的性格。父母可以从以下几个方面入手去稳定孩子的情绪：

第一点仍然是要求父母以身作则，控制好自己的情绪。虽然多血质孩子的情绪本身就属于善变型的，但是孩子的情绪仍然会受到父母的影响。有句话是这样说的："妈妈脾气坏，孩子坏脾气。”特别是当孩子情绪失控的时候，家长更要控制好自己的情绪，不要让自己的情绪被孩子的情绪牵着走。孩子情绪发生剧烈变化，如果这时候父母与他形成对抗，那么不但不能平复孩子的情绪并解决问题，还会增加孩子情绪波动的强度。

多血质的孩子在生活中做事比别人快，人际关系也比别人好，所以他们受到表扬的机会会比一般的孩子多。生活中他们并不缺少表扬，父母可以适当地减少对他们的称赞，因为如果表扬过多的话，他们的思想就会更加浮躁，变得越来越骄傲，这样时间长了，他们产生一种高高在上的感觉之后就会更容易对别人发脾气。

多血质的孩子情绪来得很快，非常不稳定。别人顺着他的时候，他就高兴地笑，只要稍有不如意就会大发脾气。这时候父母要用冷静的态度去纠正孩子的态度，比如用有趣的东西转移他的注意力。等到孩子情绪稳定之后，再告诉他刚才那样随意地发脾气会伤害自己的朋友。还可以引导孩子进行换位思考，让孩子站在其他小朋友的角度上去认识自己的行为，引导他对自己乱发脾气造成的后果感同身受，这样他就会理解自己的情绪给别人带来了不好的感受，以后就会注意。父母也要关心孩子发脾气的原因。如果是为了合理的心理诉求，那么应该支持孩子，但是要告诉他如何提出自己的合理要求。

为了让孩子更好地感受情绪带来的影响，父母可以和孩子一起玩角色扮演的游戏，通过扮演处于不同情绪状态下的人，让孩子学会正确处理自己的情绪；也可以与孩子一起设计情境，进行角色互换，增强孩子对自己情绪的控制力。

多血质孩子的妈妈还可以试一下用蔬菜来帮助孩子稳定情绪。新加坡的儿科专家们对“情绪不稳定儿童”进行了专门的研究，通过研究，他们发现蔬菜具有稳定情绪的作用。因为咀嚼的动作可以缓解孩子的紧张和焦虑以及其他负面的情绪，如果给孩子的食物中包含更多的蔬菜，那么他们就会更充分地发挥咀嚼的功能。如果孩子不爱吃蔬菜，那么妈妈可以开动脑筋，变换烹调方式，让孩子尽量多吃一些。

多血质孩子的父母还可以选择一些舒缓的音乐来帮助孩子平复情绪，这种方式同样可以用来帮助孩子养成平和的心态。

多血质的孩子本来就善解人意，很受别人的欢迎，如果能够改掉这个情绪多变的毛病，他一定会拥有很多值得一生珍惜的好朋友。

◇ 学会管理自己的情绪 ◇

晶晶，老师理解你，知道你心里不舒服，可这样发脾气不但会影响到其他同学，而且对自己也不好呀！

老师我错了，可我就是控制不住自己！

下次发脾气之前，先冷静一下或者换个环境转移一下自己的注意力。

要提高孩子的情绪控制能力，要让孩子学会冷静。如果当时场面失控，父母要立刻做出反应。这时候父母要冲过去抱住孩子，不管他们如何挣扎都不要放手，另外还要在孩子的耳边低声安慰，平复他们的心情。当孩子心情平复之后，家长要引导孩子思考有没有更好的解决办法。

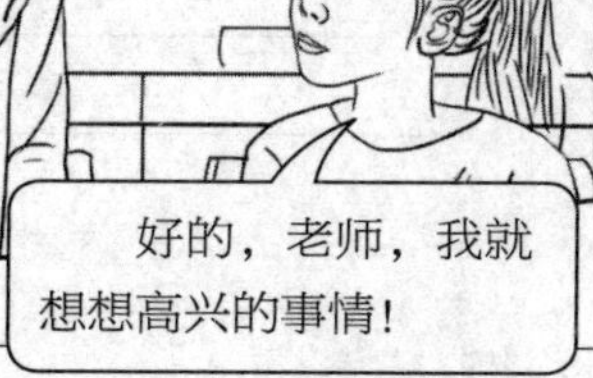

高情商家教思维

1. 父母在判断孩子气质时，应该注意什么？

2. 怎样提高孩子的情绪控制能力？

3. 对于抑郁质的孩子，如何培养其独立性？

4. 家长如何给孩子创造一个幽默、轻松、活泼的环境？

5. 家长如何帮助孩子稳定情绪？

第八章

教育孩子要懂的儿童个性心理学

按天性生长，更容易长成大树

许多年来，心理学家都在探讨一个问题：性格究竟是天生的，还是在成长过程中形成的呢？实际上，性格是天生具备的特点，但是会受到环境的影响。从小保留下来的性格是天生性格，而成长过程中因为受到周围环境影响形成的性格是后天性格。

既然性格是人固有的特征，那么最大限度地发挥性格优点就是自我实现的过程。著名心理学家卡尔·古斯塔夫·荣格在《心理类型学》一书中提出：“植物要开花结果，首先需要的是适合自己的土壤。”就像不同的花朵需要在不同的生长条件才能开出绚丽的花朵一样，不同性格的孩子也需要在不同的环境去培养才能实现自己最大的价值。只有把“本性的根”种植在“适合的土壤”中，这根最终才能成长为“茁壮的树”。

帅帅是一个活泼的男孩子，总是精力充沛，但是她妈妈却总是希望他能安安静静地坐在书房里看书，所以经常把他放在书房里不让出门。这样过了一段时间之后，帅帅不仅学习成绩没有得到提高，整个人也变得萎靡不振，天天无精打采。

了解自己的性格是认识自我的过程。了解自己的性格就像是在思考自己是属于什么样的“树”，也可以说是了解自己到底是什么样的人的过程。每个人都想实现自我，但是想要成为人生的主人，就必须要了解自己天生的性格。性格的培养也不是随意进行的，而是需要根据天生的性格进行培养，与其说这是一个培养的过程，不如说是一个让天生的性格更加健全的过程。而为这一过程奠定基础的就是父母提供的成长环境，父母对孩子的任何期望都应该建立在了解孩子的天性的基础上，只有这样，孩子才能更好地了解自己，接纳他人，并使自己的努力更加有效率。让孩子按照天性去成长，孩子会更容易成材。

有这样一个家庭，在外人看来孩子非常优秀，这个孩子从来没有上过任何课外辅导班就考上了重点中学。按理说应该是家里的骄傲，但是不知道为什么，这家的爸爸和儿子总是冲突不断，有时候爸爸气急了甚至会动手打儿子，而最近两人的矛盾达到了顶峰，儿子再也不肯跟爸爸说话了。

后来妈妈拖着这对父子找到一位心理医生进行心理治疗。心理医生为父子俩分别进行了测试，结果发现爸爸是性格豁达开放，很善于解决现实问题并且手段高明的性格类型；儿子则属于内向型的性格，直觉出众，但是不爱说话，虽然解决现实问题的手段比较弱，但是思维敏捷严密，这种孩子最擅长抓住事物的本质和规律。

父子俩闹矛盾的根源是爸爸希望儿子像自己一样成为一个现实、务实的人。但是他没有注意到儿子的性格，这种性格的孩子绝对不能出手打他，因为家庭对他逼迫越厉害，他就会反抗越厉害，这样父子之间的感情也就越来越疏远了。

世界上没有不爱孩子的父母，但是如果父母不考虑孩子的真正需要，一意孤行地采取单方面的行为，这样最终会毁掉孩子。只有父母首先认可了孩子天生的性格，并且按照孩子的性格来设计未来，这样孩子才会感觉到幸福，才会更容易成材。

以符合孩子性格的方式表达对孩子的爱

现实生活中，我们经常可以看到父母非常疼爱孩子，但是孩子却与父母关系紧张的情况发生。很多家长也会奇怪地问：“这世界上哪有不疼爱孩子的人呢？可是孩子就是跟我不亲近。”的确，大部分父母都是爱孩子的，问题的关键在于父母的爱有没有被孩子感受到。

爱是需要沟通和共鸣的，只有这样，爱才会像春风一样温暖孩子的心灵。那么怎样才能让孩子感受到父母的爱呢？要达到这个目的，第一步就是了解孩子的性格。只有孩子的天生性格被父母认可，孩子才能感受到父母的爱。即使父母希望孩子做出一些改变，也要首先尊重他们的性格。只有让孩子感到自己是被父母尊重的，他才会对父母敞开心扉。

苏联教育家马卡连柯曾经说过这样一句话：尊重人、信任人是教育人的前提。其中，“尊重人”所指的正是尊重人的人格。教育的核心就是让孩子始终体验到自己的尊严感。不过在现实生活中，不注重尊重孩子人格的现象屡屡发生。家长常常打着“关心孩子，为了孩子好”的旗号，将自己的意志强加在孩子的身上；还有些家长总是认为孩子“应该”怎样，然后想方设法把孩子塑造成自己理想中的模样，却从没想过孩子实际上是怎样的人。这些行为无疑是对孩子人格的漠视。

人格是从一出生就确定的，是稳固的、独特的个性心理特征，是与生俱来的，而且本质上是不会发生改变的。这是所有研究九型人格与发展心理学的学者们公认的事实，并且推测这可能与遗传、胎儿时期的子宫环境、母亲在怀孕时的精神状态有关。但是无论是何种原因，“气质是天生的”，这是不可改变的事实。所以父母不能把创造或者改变孩子的人格类型作为自己的目的，而是应该承认和尊重孩子的人格类型，接受他们的内在价值体系，协助他们根据自身的人格类型发挥独特的潜力。

也许有家长会说：“既然人格类型不能改变，那么家庭教育还有什么用处呢？”其实在社会中，我们很难把人简单地划分为 9 类，这是因为，即使是同种类型的人格，也有着健康状态、一般状态和不健康状态之分，并且在不同状态下人们的行为方式和性格惯性也不尽相同。比如一个健康状态下的活跃型孩子充满活力、自信乐观，而不健康状态下的同类型孩子就可能是终日玩乐、脱离实际的人。一个人成年后的人格类型处于哪个状态，这在很大程度上取决于他童年时期的经验以及父母的教育方式。如果父母能够清楚孩子的性格并据此因材施教，孩子的人格就会向着健康状态良性发展；而一个生活在父母施教不当环境中的孩子，他在成长过程中会不自觉地关闭自己的情感沟通渠道，同时还会建立起各种各样防止受到侵害的防御反应。简单来说，如果父母能够根据孩子的天生性格来表达对孩子的爱，把对孩子的教育建立在尊重孩子人格的基础上，那么孩子就会按照自己的天性成长，发展出健康的人格；否则就会让孩子受到伤害，使其发展处于不健康的状态。

忽视孩子本身的性格特质，无论多么重视家庭教育、耗费多少精力，也于事无补，甚至可能会过犹不及。所以，对孩子的教育，一定要建立在尊重孩子的天生性格的基础上。

总而言之，父母要学会观察孩子的人格类型，并且以其所属类型的最佳发展方式来与其相处，而不是试图去改变他们。要知道，每种性格都有自己的闪光点，如果父母一味培养孩子与天生性格不一致的特征，孩子就无法发展个性中固有的特点，甚至会造成孩子含混不清的性格，让孩子变得缺乏自信和存在感。只有充分发挥自身性格优势，孩子才能自信地面对生活。

以下是各种人格类型的健康标准：

人格类型	健康状态	一般状态	不健康状态
领袖型	具有出众的领导才能，心胸宽广，能够保护别人	争强好胜，做事直接，有很强的控制欲	行为有暴力倾向，疯狂追逐权力
和平型	性格随和，兼收并蓄，目标明确	优柔寡断，常常劳心伤神，性格温和	偏执，丧失人生方向，相信宿命论
完美型	冷静沉着，理智，具有批判意识	完美主义者，行为谨慎	行为具有破坏性，伪善，冷血
助人型	乐于帮助别人，富有创造力	具有奉献精神，心中充满母爱	在依赖别人的同时希望支配别人
成就型	才能出众，值得信任，诚实	实用主义者，有出人投地的愿望	狡诈的投机主义者
浪漫型	富有创造力，人际关系良好	情趣高雅，追求美和浪漫	神情恍惚，颓废，脆弱
思考型	富有创意，精力旺盛，睿智	善于分析和思考，但是总是扮演着旁观者的角色	被孤立的状态下会陷入虚无主义，行为古怪
怀疑型	忠诚，勇敢，大胆	恪尽职守，做事小心	胆小怕事，依赖别人，但是行为具有攻击性
活跃型	多才多艺，而且能够享受内心的平静	好动，快乐至上，思想肤浅	陷入某种癖好不能自拔，自制力差，不听劝告

与孩子性格相同就和谐吗

有很多家长可能以为孩子是自己生的，必定会与自己有着相同的性格，有些则认为孩子会遗传自己的性格，还有一些家长抱着这样的态度：孩子与我朝夕相处，他最终会与我拥有同样的性格。

我们经常看到很多父母总是这样骄傲地描述孩子：“我们家孩子真是跟我一模一样！”的确，孩子在长相、体型和才能方面有很多地方会和父母相似，这是遗传的作用，是理所应当的事情。但是研究表明，性格不一定会遗传，孩子的固有性格只可能会受到父母性格的影响，而不会与父母的性格完全一样。

一些家长认为，如果孩子与自己拥有一样的性格，就能够更好地理解孩子的需要，亲子之间的相处就可以更融洽，这不一定正确。心理学家认为：即使父母和孩子是相同的性格，但是根据观察视角和阅历的不同，每个人的感受和认识也不相同。即使父子两个都是活跃型的人格，都具有活泼开朗、社交广泛的性格，但是由于两个人的生活经历完全不同，所以感受也不会相同。就像同样一个行为，有人认为是死心眼、不会变通的表现；有人则认为是有毅力、能坚持。所以，父母没有必要因为自己和孩子不是相同的性格就暗自苦恼，认为自己与孩子的相处一定会出现问题。

要想让自己能够与孩子和谐相处，父母要做的第一步就是承认孩子的性格可能与自己的不同。因为人与人之间的相处，最重要的就是要接受其他人与自己的区别。如果不承认对方与自己的区别，强行要求别人跟自己一样，那么一定会把双方的关系弄僵，这个原则同样适用于亲子之间的相处。从来没有人能够强迫别人改变本性，这样做的结果只能是导致关系破裂。有些妈妈是活跃型的人格，而孩子是思考型的人格。在妈妈的眼里，孩子这么安静，生活该是多么无趣啊！于是她经常带着孩子出去游玩，希望孩子能够变成活泼开朗的孩子，但是实际上妈妈不知道，思考型孩子觉得安静的生活才有乐趣，无休止的外出只会让他疲惫不堪。而妈妈的活跃也会通过这些活动在无形中给孩子带来很大的压力，让他变得更加孤僻。当情况反过来，妈妈是思考型而孩子是活跃型，如果妈妈没有认识到孩子的个性并根据他的个性加以引导，那么妈妈会认为孩子是一个散漫没有礼貌的孩子，时间长了，孩子就会因为能量没有得到释放而感到郁闷。以上两个例子都是告诉我们，当固有的人格类型没有得到认可，孩子会认为自己是不受欢迎的人，会变得缺乏自信。

世界上没有完全匹配的“性格八字”，即使两个人属于相同的性格类型，也并不能代表能够很好地理解对方，而性格相反的时候也不代表一方就感受不到另一方的魅力。作为父母，最重要的是要正确把握自己和孩子的性格，理解和接受孩子的性格。只有父母能够尊重孩子的性格类型，多多站在

孩子的角度认识问题，才能打造完美的匹配性格。 每个人都有不同的性格，没有必要一定要求孩子的性格与自己相同或者相反。 只要双方能够互相理解、互相信任，相信无论什么样的性格组合都能找到合适的相处之道。

妈妈有脾气，九型妈妈大 PK

前面的几节，我们详细介绍了各个类型孩子的特点和培养技巧，那么各个类型的妈妈都有什么优缺点呢？只有了解自己才能更好地扬长避短，所以下面来看一下各类型妈妈的独特魅力。

领袖型妈妈富有献身精神，既是孩子勇敢的卫士，也是孩子体贴的仆人，正直、诚实、开朗、自信，是孩子的楷模。不过领袖型的妈妈有过于严格的倾向，她们很享受那种高高在上的感觉；另一方面，她们又会对孩子过分地保护和干涉，总喜欢用自己的想法操纵孩子，习惯性地忽略孩子的意见。如果孩子的性格不像妈妈一样强势，那么妈妈其实很难理解孩子的软弱。领袖型妈妈在教育孩子的时候要注意不要用强力压制孩子，要承认自己与孩子的区别，尽量采取平易近人的方式对待他们。

和平型妈妈性格随和，能够理解孩子，让孩子感受到温暖，也能尊重孩子的天性。在和平型妈妈的怀抱中成长的孩子，通常会觉得世界充满了爱和信任。但是和平型妈妈也有自己的缺点，她们常常对孩子有求必应，疏于管教；而且和平型妈妈性格保守，所以会妨碍孩子对新事物的探索；当孩子站在人生的十字路口时，妈妈也很难为孩子指点迷津。其实，和平型妈妈应该树立起自己的威严，有时候在孩子面前要表现出不容反抗的坚决态度；还要改正自己“事不关己，高高挂起”的态度，因为孩子的人生是你必然要参与而且要给予指导的。

完美型妈妈责任心强，是孩子可以信任的人，同时她们会不遗余力地为孩子创造良好的条件，能给孩子带来安定感。不过，这种类型的妈妈教育方式不灵活，她们不仅对自己要求严格，对孩子的缺点也不肯放过，哪怕只是一个无关紧要的小错误。她们喜欢按照自己的标准要求孩子，不尊重孩子个性。完美型妈妈一定要学会灵活地教育孩子，对孩子多一些宽容，时刻反省自己是不是过多地干预了孩子的生活。

助人型妈妈是典型的“贤妻良母”，不仅能够理解和支持孩子，而且在这个过程中她们自己也感到满足。不过，助人型妈妈有过分保护孩子的倾向，即使孩子明确表示不需要妈妈的帮助，她们还是会不辞辛劳地替孩子做事。其实这样反而会引起孩子的逆反心理。助人型妈妈一定要学会与孩子保持距离，这样才能让孩子形成独立的人格和个性。

成就型妈妈勤奋努力，热衷于教育，孩子通常能够健康成长。不过她们具有强制教育孩子的倾向，有时候过于理性，不重视别人的感受，甚至会为了显示自己对孩子提出苛刻的要求。其实成就型妈妈应该告诉自己不要只重视名利，要放慢脚步去享受生活；还要告诉自己孩子不是实现梦想的工具，要尊重孩子的“平凡”。

浪漫型妈妈感情丰富，能够给孩子带来无限的欢乐。她们尊重孩子的个性和主张，能给孩子充分的自由。不过她们有时候会给孩子过多的自由，甚至有让孩子放任自流的倾向。浪漫型妈妈最需要注意的问题是要学会控制情绪，因为自己情绪波动大，往往会给孩子造成很大的压力。而且这类型的妈妈在处理日常事务时显得很不熟练，也会让孩子觉得生活吃力。

思考型妈妈理性、开明，尊重孩子的兴趣，但是她们不善于表达爱意。孩子总是希望得到关爱，但妈妈总是一副不冷不热的样子，这会给孩子带来极大的伤害。当思考型妈妈思考问题时，如果孩子靠近还会显得很不耐烦。思考型妈妈应该学会多多向孩子表达自己的爱和关心。如果喜欢所有事情都有条理地进行，那么可以发挥自己善于计划的长处去规划一次家庭聚会或旅游，这不仅能让孩子快乐，也能让自己感到舒适。

怀疑型妈妈养育孩子时认真负责，尽心尽力，认为培养出一个优秀的孩子是自己的使命。不过怀疑型妈妈总是紧张，不喜欢享乐，而且过于关注一些无谓的琐事，舍不得放手，生怕孩子受到伤害。其实怀疑型妈妈应该尊重孩子需要独立的心理诉求，并学会享受生活中的点点滴滴，只有这样才能为孩子创造一个轻松的、让孩子感到安全的环境。

活跃型妈妈总是能让家里充满欢声笑语，理解孩子的冒险心理，能够包容他们的过失。不过孩子对于活跃型妈妈来说似乎只是一种消遣，如果与孩子之间产生了问题，就有对孩子放任不管的倾向。这个类型的妈妈应该给孩子创造一个有规律的安定的环境，多给孩子一些时间，与他们一起努力，战胜困难，而不是遇到困难自己逃得比孩子还快。

看了上面这些分析，希望各个类型的妈妈在教育孩子的时候多多反省，保证孩子能够在健康的家庭氛围中快乐成长。

◇ 让孩子自由成长 ◇

性格会受到环境的影响。性格的培养需要根据天性进行，同时也是一个让天性更加健全的过程。而为这一过程奠定基础的就是父母提供的成长环境，父母对孩子的任何期望都应该建立在了解孩子的天性的基础上，只有这样，孩子才能更好地了解自己，接纳他人，并使自己的努力更加有效率。

高情商家教思维

1. 如何看待有个性的孩子？

2. 你的孩子是哪种人格？ 如何评价孩子人格的健康状况？

3. 亲子之间的相处和相互之间的性格有关吗？ 如何打造亲子之间完美的性格匹配？

4. 你了解各种类型性格家长有哪些优缺点吗？

5. 分享一下你读完本书的收获。